MORDERSTWO
NA 31 PIĘTRZE

Tego autora

MORDERSTWO NA 31 PIĘTRZE

STALOWY SKOK

PER
WAHLÖÖ

MORDERSTWO
NA 31 PIĘTRZE

Ze szwedzkiego przełożył
WOJCIECH ŁYGAŚ

Wydawnictwo
A. Kuryłowicz

Tytuł oryginału:
MORD PÅ 31:A VÅNINGEN

Redakcja: Barbara Nowak

Ilustracja na okładce: italianphoto/Shutterstock

Projekt graficzny okładki i serii: Andrzej Kuryłowicz

Skład: Laguna

ISBN 978-83-7885-732-7

Książka dostępna także jako e-book

Dystrybutor
Firma Księgarska Olesiejuk sp. z o.o. sp. k.-a.
Poznańska 91, 05-850 Ożarów Maz.
t./f. 22.535.0557, 22.721.3011/7007/7009
www.olesiejuk.pl

Sprzedaż wysyłkowa – księgarnie internetowe
www.merlin.pl
www.fabryka.pl
www.empik.com

Wydawca
WYDAWNICTWO ALBATROS A. KURYŁOWICZ
Hlonda 2A/25, 02-972 Warszawa
www.wydawnictwoalbatros.com

2013. Wydanie I
Druk: WZDZ – Drukarnia Lega, Opole

Tobie, Maj

1

Alarm ogłoszono dokładnie o godzinie 13.02. Komendant policji osobiście zadzwonił do szesnastego komisariatu i półtorej minuty później w pomieszczeniach dyżurnych i biurowych na parterze włączyły się syreny. Kiedy komisarz Jensen wyszedł ze swojego pokoju i zszedł na dół, wciąż było je słychać. Jensen zatrzymał się na ostatnim, dolnym stopniu spiralnych schodów i rozejrzał po całym komisariacie. Potem poprawił krawat i poszedł do samochodu.

W południe na ulicach panował już duży ruch. Domy wznosiły się nad falą pojazdów jak potężne kolumnady ze szkła i betonu. W całym tym świecie bezdusznych fasad ludzie idący chodnikiem sprawiali wrażenie bezdomnych i niezadowolonych. Mieli na sobie eleganckie ubrania, ale niewiele się od siebie różnili. Poza tym wszystkim się spieszyło. Tłoczyli się w kolejkach albo stali nieporadnie przed sygnalizacją świetlną lub przed błyszczącymi od chromu fast foodami. Ciągle się rozglądali, zwracając baczną uwagę na teczki i torebki.

Przez ciżbę samochodów próbowały się przedrzeć radiowozy z włączonymi syrenami i kogutami.

Komisarz Jensen jechał pierwszym samochodem. Był to granatowy, seryjny pojazd z siedzeniami z tworzyw sztucznych. Za nim jechał szary mikrobus z zakratowanymi okienkami w tylnych drzwiach i migającą lampą na dachu.

W krótkofalówce rozległ się głos komendanta policji.

— Jensen?

— Tak.

— Gdzie jesteście?

— Na wysokości siedziby związków zawodowych.

— Jedziecie na sygnale?

— Tak.

— Wyłączcie go, jak będziecie przejeżdżać przez rynek.

— Jest duży ruch.

— Nic na to nie poradzę. Nie wolno wam zwracać na siebie uwagi.

— Może pan być spokojny. Zawsze mam na względzie społeczeństwo i ludzi na ulicach.

— Rozumiem. Jesteście w mundurach?

— Nie.

— To dobrze. Jakich macie ludzi?

— Jednego ode mnie i czterech po cywilnemu. W patrolu dziewięciu ludzi z policji porządkowej. W mundurach.

— W budynku albo bezpośrednio przed nim powinni się pojawić tylko ci po cywilnemu. Połowę grupy operacyjnej wyślijcie trzysta metrów dalej, zanim tam dojedziecie. Potem ich ominiecie i zaparkujecie w bezpiecznej odległości.

— Zrozumiałem.

— Zamknijcie główną ulicę i przecznice.

— Zrozumiałem.

— Jeśli ktoś będzie pytał dlaczego, powiedzcie, że to z powodu pilnych prac drogowych. Na przykład...

Komendant zamilkł na chwilę.

— Na przykład pęknięcie rury ciepłowniczej.

— No właśnie.

W słuchawce rozległy się trzaski.

— Jensen?

— Tak.

— Wie pan, w jakiej formie należy się do nich zwracać?

— W jakiej formie?

— Myślałem, że wszyscy wiedzą. Nie wolno wam nazywać żadnego z nich dyrektorem.

— Zrozumiałem.

— Są bardzo wrażliwi pod tym względem.

— Rozumiem.

— Nie muszę chyba przypominać, że to zadanie... delikatnej natury?

— Nie.

I znowu zakłócenia w słuchawce. Tym razem to raczej westchnienie, głębokie i metaliczne.

— Gdzie jesteście teraz?

— Na południowej pierzei rynku. Przed pomnikiem robotników.

— Wyłączcie syreny.

— Potwierdzam.

— Zwiększcie odległość między samochodami.

— Potwierdzam.

— Wysyłam do was dodatkowe patrole, jako wzmocnienie. Podjadą na parking. Może je pan wykorzystać w razie potrzeby.

— Zrozumiałem.

— Gdzie teraz jesteście?

— Na północnej pierzei rynku. Widzę już tamten budynek.

Ulica była szeroka i prosta. Miała sześć pasów z wąską białą wysepką pośrodku. Za wysokim stalowym ogrodzeniem wzdłuż zachodniej strony znajdowało się zbocze, a poniżej rozciągnięta na dużej długości baza samochodów ciężarowych z setkami magazynów i ramp, przed którymi stały w kolejce biało-czerwone ciężarówki. Wszędzie kręcili się ludzie. Byli to głównie pracownicy magazynów i kierowcy ubrani w białe bluzy i czerwone czapki z daszkiem.

Ulica ciągnęła się wzdłuż grzbietu wzgórza i prowadziła w górę. Jej wschodnia krawędź graniczyła z granitową ścianą wyłożoną cementem. Ściana była jasnoniebieska, z pionowymi, pordzewiałymi od stali zbrojeniowej brzegami. Nad wzgórzem widać było rzadkie korony drzew z pozbawionymi liści gałęziami. Jeśli ktoś stał na dole, z powodu drzew nie mógł widzieć budynków. Jensen wiedział jednak, że taka zabudowa w tym miejscu istnieje i jak wygląda. Znajdował się tam szpital dla osób chorych psychicznie.

W swoim najwyższym punkcie ulica dochodziła do wzgórza, sięgając grzbietu, gdzie lekko skręcała w prawo. Właśnie tam stał budynek, do którego jechali. Należał do najwyższych w okolicy, a dzięki położeniu był widoczny z każdego punktu miasta. Bez względu na to, gdzie kto się znajdował, widział ponad sobą szczyt wieżowca. Gmach stanowił końcowy punkt drogi dojazdowej.

Budynek miał kwadratową podstawę i liczył trzydzieści pięter. Na każdej ścianie znajdowało się czterysta pięćdziesiąt okien. Fasadę zdobił biały zegar z czerwoną wskazówką. Gmach wyłożony był okładziną ze szklanych płyt. Od dołu płyty miały kolor granatowy, a im wyżej, tym kolor stawał się jaśniejszy.

Jensen spoglądał na budynek przez szybę samochodu. Miał wrażenie, że wieżowiec wystrzeliwuje ponad ziemię niczym potężna kolumna wbijająca się w zimne, bezchmurne wiosenne niebo. W dalszym ciągu trzymał słuchawkę przy uchu. Pochylił się i spojrzał przed siebie. Budynek robił się coraz większy i zajmował już całe pole widzenia.

— Jensen?

— Tak?

— Ufam panu. Musi pan ocenić sytuację we właściwy sposób.

Nastąpiła przerwa i w słuchawce rozległy się trzaski. Po chwili komendant powiedział z wahaniem:

— Bez odbioru.

2

Podłogę na osiemnastym piętrze pokrywały jasnoniebieskie dywany. W gablotach stały dwa duże modele statków, a w lobby fotele i stolik w kształcie nerki. W pokoju ze szklanymi ścianami siedziały trzy kobiety. Widać było, że nie mają co robić. Jedna z nich spojrzała przelotnie na Jensena i spytała:

— O co chodzi?

— Nazywam się Jensen. To pilna sprawa.

— Naprawdę?

Kobieta wstała bez pośpiechu i z wyuczoną nonszalancją podeszła bliżej lekkim krokiem. Otworzyła drzwi i powiedziała:

— Przyszedł pan, który nazywa się Jensen.

Miała zgrabne nogi, wąską talię i była dość niedbale ubrana.

W drzwiach pojawiła się następna kobieta. Wyglądała na starszą od pierwszej, ale niewiele. Miała blond włosy, jasną cerę i określając ogólnie, antyseptyczny wygląd.

Nie patrząc na swoją asystentkę, powiedziała:

— Bardzo proszę. Czekaliśmy na pana.

Narożny pokój miał sześć okien. Widać z nich było miasto. Nierzeczywiste i pozbawione życia, jak modele na mapie topograficznej. Chociaż świeciło słońce, widok był wspaniały, a powietrze przejrzyste i rześkie. Pokój pomalowano na czyste, mocne kolory. Ściany były bardzo jasne, podobnie jak wykładzina podłogowa i meble ze stalowych rurek.

W gablocie między oknami stały chromowane puchary z wygrawerowanymi na nich dębowymi wieńcami i czarne drewniane podstawki. Większość z nich zdobiły figurki nagich łuczników albo orłów z rozpostartymi skrzydłami.

Na biurku ustawiono: wewnętrzny telefon, wielką popielniczkę z nierdzewnej stali i figurkę kobry z białej kości.

Nad gablotą unosiła się biało-czerwona flaga na chromowanej nóżce, a pod biurkiem widać było parę jasnożółtych sandałów oraz pusty kosz na papiery z lekkiego metalu.

Na środku pokoju, na stole, leżał list. Priorytet. W pokoju znajdowało się dwóch mężczyzn.

Pierwszy z nich stał przy krótszej krawędzi stołu i czubkami palców dotykał wypolerowanej powierzchni blatu. Był ubrany w granatowy garnitur, czarne, ręcznie szyte buty, białą koszulę i srebrnoszary jedwabny krawat. Miał płaską twarz, na której rysował się usłużny wyraz, włosy porządnie uczesane, spojrzenie przypominające wyraz oczu psa. Nosił okulary z rogowymi oprawkami. Jensen często widział takie twarze, zwłaszcza w telewizji.

Drugi mężczyzna wyglądał na młodszego, miał na sobie skarpetki w żółto-białe prążki, jasnobrązowe spodnie z terylenu i niezapiętą białą koszulę niewłożoną w spodnie. Klęczał na krześle przed jednym z okien, z brodą wspartą na dłoniach, łokciami opierał się o biały, marmurowy parapet. Miał jasne włosy, niebieskie oczy, na nogach same skarpetki bez butów.

Jensen pokazał odznakę służbową i podszedł do biurka.

— Czy to pan jest dyrektorem wydawnictwa?

Mężczyzna w jedwabnym krawacie zaprzeczył ruchem głowy i odsunął się od stołu, wykonując przy tym lekki skłon i szybki gest w stronę okna. Z jego uśmiechu trudno było cokolwiek wyczytać.

Mężczyzna przy oknie zsunął się z krzesła i ruszył na palcach przez pokój. Podał Jensenowi dłoń, uścisnął ją krótko i energicznie i wskazał na stół.

— Tam — powiedział.

Na stole leżała zwykła biała koperta z trzema znaczkami. W lewym dolnym rogu widać było czerwoną naklejkę, co oznaczało, że list nadano jako priorytet. W środku koperty znajdował się arkusz papieru złożony na czworo. Zarówno adres, jak i treść listu sporządzono z naklejonych liter, prawdopodobnie wyciętych z gazety. Papier był dobrej jakości, format dość nietypowy. Jensen ujął kartkę w czubki palców i przeczytał treść listu:

za to że z waszego rozkazu popełniono
zbrodnię w budynku podłożono ładunek
wybuchowy na zapalnik czasowy wybuchnie
ona dokładnie o czternastej dwudziestego
trzeciego marca niech ratują się niewinni...

— To chyba jakaś wariatka — rzucił blondyn. — Po prostu chora umysłowo.

— Tak, właśnie do takiego wniosku doszliśmy — wtrącił mężczyzna w jedwabnym krawacie.

— Niewykluczone, że to jakiś paskudny żart — ciągnął blondyn.

— Pozbawiony smaku.

— Tak, oczywiście, można odnieść takie wrażenie — dodał mężczyzna w krawacie.

Blondyn rzucił mu obojętne spojrzenie i powiedział:

— To zastępca dyrektora wydawnictwa. — Zrobił krótką przerwę i dodał: — Mój najbliższy współpracownik.

Na twarzy przedstawionego mężczyzny pojawił się szeroki uśmiech. Skłonił głowę. Być może chciał się w ten sposób przywitać z Jensenem, ale niewykluczone, że spuścił wzrok z innego powodu. Na przykład z powodu nieśmiałości, aby okazać szacunek albo dumę.

— Mamy dziewięćdziesięciu ośmiu dyrektorów — oznajmił blondyn.

Komisarz Jensen spojrzał na zegarek. 13.19.

— Pan dyrektor wydawnictwa użył określenia „wariatka". Czy coś wskazuje na to, że autorem listu jest kobieta?

— Wszyscy mówią do mnie najczęściej „panie redaktorze". Po prostu — powiedział blondyn. Przeszedł człapiącym krokiem wokół stołu, usiadł na krześle i przełożył prawą nogę przez oparcie. — Nie — wyjaśnił. — Oczywiście, że nie. Tak mi się jakoś powiedziało. Ktoś przecież musiał napisać ten list.

— No właśnie — powiedział zastępca dyrektora wydawnictwa.

— Ciekawe kto — zastanawiał się blondyn.

Uśmiech znikł mu z twarzy, a w jego miejsce pojawiły się głębokie zmarszczki.

Przełożył nad oparciem krzesła także lewą nogę.

Jensen znowu spojrzał na zegarek. 13.21.

— Wszyscy muszą opuścić budynek — powiedział.

— Opuścić budynek? To niemożliwe. To oznacza wstrzymanie produkcji. Może nawet na dwie godziny. Czy pan zdaje sobie sprawę z konsekwencji? Czy ma pan pojęcie, jakie to są koszty?

Zastępca dyrektora kopnął krzesło i patrzył wyzywającym wzrokiem na swojego najbliższego współpracownika. Zmarszczył czoło i mrucząc coś do siebie, zaczął liczyć na palcach. Ten, który chciał, aby nazywać go

17

redaktorem, spojrzał na niego chłodnym wzrokiem i od-chylił się do tyłu.

— Co najmniej siedemset pięćdziesiąt tysięcy koron — oświadczył. — Rozumie pan? Siedemset pięćdziesiąt tysięcy. Przynajmniej. Może nawet dwa razy więcej.

Jensen ponownie przeczytał list i spojrzał na zegarek. 13.23.

Redaktor mówił dalej:

— Wydajemy sto czterdzieści osiem czasopism. Produkcja odbywa się w tym budynku. Ich łączny nakład wynosi ponad dwadzieścia jeden milionów egzemplarzy. Co tydzień. Nie ma nic ważniejszego niż ich wydrukowanie i rozwiezienie na czas. — Kiedy to mówił, twarz mu się zmieniła. Oczy rozbłysły jasnym blaskiem. — Ludzie czekają na swoje gazety w całym naszym kraju, w każdym domu. Księżniczki na dworze i żony pracowników leśnych, wybitni przedstawiciele elit, prześladowani i poniżani, jeśli w ogóle tacy są. Wszyscy. — Po krótkiej przerwie dodał: — No i małe dzieci. Wszystkie małe dzieci.

— Co pan ma na myśli?

— Dziewięćdziesiąt osiem tytułów to czasopisma dla młodszych dzieci.

— Komiksy — sprecyzował zastępca dyrektora.

Blondyn rzucił mu niechętne spojrzenie i znowu zmienił mu się wyraz twarzy. Z irytacją kopnął krzesło i utkwił wzrok w Jensenie.

— No więc, panie komisarzu?

— Z całym szacunkiem dla pana opinii, uważam jednak, że wszystkich należy ewakuować — odparł Jensen.

— Czy tylko tyle ma pan do powiedzenia? Przy okazji, czym zajmują się pana ludzie?

— Szukają bomby.

— Jeśli bomba rzeczywiście tu jest, na pewno ją znajdą?

— To specjaliści, ale mają niewiele czasu. Taki ładunek trudno znaleźć. Może być ukryty wszędzie. W momencie gdy moi ludzie na coś natrafią, od razu mnie poinformują.

— Mają jeszcze czterdzieści pięć minut.

Jensen spojrzał na zegarek.

— Trzydzieści pięć. Jeśli znajdą ładunek, będą potrzebować trochę czasu na jego rozbrojenie.

— A jeśli bomby nie ma?

— Mimo wszystko muszę zarządzić ewakuację.

— Nawet jeśli ryzyko wydaje się niewielkie?

— Tak. Całkiem możliwe, że to czcza groźba i nic się nie zdarzy. Niestety, nie brakuje przykładów na to, że może być odwrotnie.

— Skąd te przykłady?

— Z historii przestępczości. — Jensen splótł dłonie na plecach. — To moja własna opinia, opinia fachowca — powiedział.

Redaktor spojrzał na niego przeciągle.

— A ile musielibyśmy zapłacić, gdyby pański osąd okazał się inny? — spytał.

Jensen popatrzył na niego wzrokiem wskazującym na to, że nie zrozumiał pytania. Mężczyzna siedzący przy stole wyglądał na zrezygnowanego.

— To był żart — odparł ponurym tonem.

Spuścił nogi, obrócił się na krześle w prawą stronę, położył ręce na blacie biurka i oparł czoło o lewą, zaciśniętą dłoń. Nagle gwałtownie się wyprostował.

— Muszę się poradzić kuzyna — powiedział i wcisnął jeden z klawiszy wewnętrznego telefonu.

Jensen spojrzał na zegarek. 13.27.

Mężczyzna w jedwabnym krawacie przesunął się bezszelestnie, stanął obok niego i szepnął:

— Będzie rozmawiał z szefem, najważniejszym szefem całego trustu, prezesem koncernu.

Redaktor mruknął coś do słuchawki. W pewnej chwili spojrzał na nich ostrym wzrokiem. Nacisnął kolejny klawisz i pochylił się w stronę mikrofonu. W krótkich, suchych słowach zwrócił się do swojego rozmówcy, którym był administrator budynku:

— Panie dyrektorze, proszę obliczyć, ile potrwa szybka ewakuacja budynku. Odpowiedzi oczekuję najpóźniej za trzy minuty. Proszę zadzwonić na moją bezpośrednią linię.

Do pokoju wszedł prezes firmy. Podobnie jak jego kuzyn jasnowłosy, ale barczysty i starszy od niego mniej więcej o dziesięć lat. Miał spokojny, poważny wyraz twarzy, trzymał się prosto. Ubrany był w brązowy garnitur, niewyszukany, ale pasujący do stanowiska. Mówił głębokim, przytłumionym głosem.

— Ile lat ma ta nowa? — spytał, wskazując głową w stronę drzwi.

— Szesnaście.

— O...

Zastępca dyrektora stanął koło gabloty. Można było odnieść wrażenie, że stoi na palcach, chociaż było to tylko złudzenie.

— Ten pan jest z policji — powiedział redaktor. — Przywiózł ludzi, którzy szukają bomby, ale nie mogą nic znaleźć. Twierdzi, że musimy ewakuować ludzi.

Prezes podszedł do okna i wyglądał przez nie, zachowując spokój.

— Już wiosna — rzucił. Jest tak ładnie.

W pokoju zapadła kompletna cisza. Jensen spojrzał na zegarek. 13.29.

— Przestawcie wszystkie nasze samochody — polecił prezes prawie niezauważalnym ruchem warg.

Zastępca dyrektora rzucił się w stronę drzwi.

— Stoją zbyt blisko budynku — dodał łagodnie prezes. — Ależ ładna pogoda.

Przez trzydzieści sekund w pokoju panowała cisza. W pewnej chwili rozległ się jakiś dźwięk i na aparacie telefonicznym zapaliła się lampka.

— Słucham — powiedział redaktor.

— Osiemnaście do dwudziestu minut z wykorzystaniem schodów, wind okrężnych i szybkich wind automatycznych.

— Czy wszystko zostało uwzględnione?

— Z wyjątkiem trzydziestego pierwszego.

— Trzydziestego pierwszego... Aha.

— Jeśli uwzględnimy także ten dział, wszystko potrwa znacznie dłużej.

Ostatnie zdanie zostało wypowiedziane mniej pewnym tonem.

— Kręte schody są ciasne — dodał mężczyzna.

— Wiem.

Koniec rozmowy. Cisza. 13.31.

Jensen podszedł do jednego z okien. Na samym dole widział parking i szeroką, sześciopasmową ulicę, która była teraz pusta. Obserwował, jak w odległości około czterystu metrów od budynku jego ludzie blokują ulicę żółtymi pachołkami. Ktoś kierował ruch w boczną drogę. Mimo że patrzył z dużej wysokości, Jensen rozpoznał zielone mundury policji i białe naramienniki drogówki.

Z parkingu wyjechały dwa duże samochody i skierowały się na południe. Zaraz za nimi jechał trzeci samochód, biały. Należał do zastępcy dyrektora.

Mężczyzna w jedwabnym krawacie odwrócił się w stronę pokoju i stanął przy ścianie. Miał zatroskany uśmiech, głowę opuścił jakby w zamyśleniu.

— Ile pięter ma budynek? — spytał Jensen.

— Trzydzieści nad powierzchnią ziemi — odparł redaktor. — Plus cztery pod ziemią. Zazwyczaj podajemy, że trzydzieści.

— Wydawało mi się, że wspomniał pan coś o trzydziestym pierwszym piętrze?

— Chyba się przejęzyczyłem.

— Ile osób zatrudniacie?

— Tutaj? W tym budynku?

— Tak.

— Cztery tysiące sto osób w głównym budynku i około dwóch tysięcy w aneksie.

— To znaczy łącznie ponad sześć tysięcy ludzi?

— Tak.

— Nalegam, aby zostali ewakuowani.

Cisza. Redaktor zrobił kolejny obrót na krześle.

Prezes stał z rękami w kieszeni i wyglądał przez okno. Po chwili odwrócił się powoli w stronę Jensena. Na jego twarzy pojawił się wyraz powagi.

— Czy pan naprawdę uważa, że w budynku jest bomba?

— Musimy przynajmniej wziąć taką ewentualność pod uwagę.

— Jest pan komisarzem policji?

— Tak.

— Czy ma pan jakieś doświadczenie, jeśli chodzi o tego rodzaju sprawy?

Jensen przez chwilę się zastanawiał.

23

— Ta sprawa jest szczególna. Z praktyki wiem, że to, co znajduje się w anonimowych listach, w osiemdziesięciu przypadkach na sto... w znanych mi sprawach stało się faktem.

— Czy to wyliczenie statystyczne?

— Tak.

— Czy pan wie, ile taka ewakuacja będzie nas kosztować?

— Tak.

— Nasza firma od trzydziestu lat boryka się z poważnymi problemami finansowymi. Straty rosną z roku na rok. Niestety, to dane statystyczne. Tylko dzięki wielkiemu osobistemu zaangażowaniu możemy w dalszym ciągu wydawać nasze czasopisma.

W jego głosie pojawił się nowy ton, pełen goryczy i skargi. Jensen nie odpowiedział. 13.34.

— Nasza działalność ma charakter społeczny. Nie jesteśmy biznesmenami. Jesteśmy wydawcami książek.

Mówiąc to, wyjrzał przez okno.

— Jest tak ładnie — mruknął. — Dzisiaj, kiedy szedłem przez park, widziałem pierwsze rozkwitłe kwiaty. Przebiśniegi i ranniki zimowe. Czy lubi pan przebywać na świeżym powietrzu?

Prezes znowu odwrócił się w stronę Jensena.

— Czy zdaje pan sobie sprawę, czego pan od nas żąda? Koszty ewakuacji ludzi będą wysokie. Działamy pod presją. Także w sferze prywatnej. Po ostatnim sprawozdaniu rocznym podjęliśmy na przykład decyzję, że będziemy kupować dla firmy tylko duże pudełka zapałek. To jedynie drobny przykład.

— Duże pudełka zapałek?

— Tak, ze względów finansowych. Musimy oszczędzać na wszystkim. Większe opakowania oznaczają niższy koszt jednostkowy. To czysta ekonomia.

Redaktor usiadł na biurku, oparł nogi o poręcz krzesła i spojrzał na swojego kuzyna.

— Byłaby to czysta ekonomia, gdyby tu rzeczywiście podłożono bombę — powiedział. — Budynek robi się za mały.

Prezes spojrzał na niego z rozrzewnieniem.

— Ubezpieczenie wszystko pokryje — rzekł redaktor.

— A kto pokryje koszty firm ubezpieczeniowych?

— Banki.

— A koszty banków?

Redaktor nie odpowiedział. Prezes znowu skupił uwagę na Jensenie.

— Domyślam się, że obowiązuje pana tajemnica służbowa?

— Oczywiście.

— Skierował tu pana komendant policji. Mam nadzieję, że wiedział, co robi?

Jensen nie znalazł odpowiedzi na to pytanie.

— Mam też nadzieję, że nie wysłał pan do budynku umundurowanych policjantów?

— Nie.

Redaktor podciągnął nogi na biurko, a potem je skrzyżował.

Jensen spojrzał na zegarek. 13.36.

— Jeśli w budynku rzeczywiście jest bomba — zaczął redaktor. — Sześć tysięcy ludzi... niech mi pan powie, ile będzie ofiar? W ujęciu procentowym.

— Ofiar w ujęciu procentowym?

— Tak. Mówię o stratach w ludziach.

— Tego nie da się wyliczyć.

Redaktor mruknął coś, ale chyba tylko do siebie.

— Ktoś mógłby nam potem zarzucić, że pozwoliliśmy im wylecieć w powietrze z premedytacją. To prestiżowa sprawa — rzekł Jensen.

— Czy zastanawiałeś się nad utratą prestiżu? — redaktor spytał kuzyna.

Prezes spoglądał na miasto zamglonymi, szaroniebieskimi oczami. Na niebie leciał jakiś odrzutowiec i rysował wzory.

— Zaczynamy ewakuację — zdecydował.

Jensen zapisał godzinę. 13.38.

Redaktor położył dłoń na wewnętrznym telefonie. Podsunął słuchawkę do ust. Mówił wyraźnym, poważnym głosem.

— Ćwiczenia przeciwpożarowe. Proszę przystąpić do szybkiej ewakuacji. Budynek należy opuścić w ciągu osiemnastu minut. Nie dotyczy to działu specjalnego. Proszę zacząć w ciągu półtorej minuty od tej chwili.

Czerwona lampka zgasła. Redaktor wstał i powiedział wyjaśniającym tonem:

— Dla osób pracujących na trzydziestym pierwszym piętrze lepiej będzie, jeśli zostaną na swoich stanowiskach, niż gdyby zaczęły schodzić po schodach. W chwili gdy ostatnia winda zjedzie na parter, zostanie odcięty prąd.

— Ciekawe, kto nam tak źle życzy — rzucił prezes zatroskanym tonem i wyszedł.

Redaktor zaczął wkładać sandały.

Jensen opuścił pokój razem z zastępcą.

Kiedy drzwi się za nimi zamknęły, zastępcy zrzedła mina. Twarz mu stężała, oczy zrobiły się czujne. Przechodząc przez sekretariat, Jensen odniósł wrażenie, że siedzące tam młode kobiety, które wciąż nie miały żadnego zajęcia, kulą się nad biurkami.

Gdy Jensen wyszedł z windy i znalazł się w lobby, była dokładnie 13.40. Dał znać swoim ludziom, żeby poszli za nim, i ruszył w kierunku drzwi wyjściowych. Policjanci opuścili budynek.

Wśród betonowych ścian rozbrzmiewał głos dobiegający z głośników.

3

Samochód stał zaparkowany tuż obok piaszczystej drogi, w połowie odległości między policyjnymi barierkami a parkingiem.

Jensen siedział na przednim siedzeniu obok kierowcy. W lewej dłoni trzymał stoper, w prawej mikrofon radiowy. Co jakiś czas przekazywał coś policjantom w radiowozach i przy barierkach. Robił to w szorstki, lapidarny sposób.

Z tyłu za nim siedział mężczyzna w jedwabnym krawacie. Ciągle się uśmiechał, ale był to zmienny uśmiech. Czoło pokrywał mu pot, przez cały czas niespokojnie się kręcił. Teraz, gdy w pobliżu nie było już ani przełożonych, ani podwładnych, zachowywał się inaczej. Na jego twarzy malował się wyraz spokoju i apatii. Od czasu do czasu czubkiem języka zwilżał wargi. Chyba nie zastanawiał się nad tym, że Jensen może go obserwować w tylnym lusterku.

— Nie musi pan tu z nami siedzieć, jeśli uważa pan, że to nic przyjemnego — powiedział Jensen.

Muszę. Prezesa i redaktora już tu nie ma. Czuję się więc odpowiedzialny... przed prezesem.

— Rozumiem.

— Czy to... niebezpieczne?

— Nie sądzę.

— A jeśli cały budynek się zawali?

— Wydaje mi się to mało prawdopodobne.

Jensen spojrzał na stoper. 13.51.

Przeniósł wzrok na budynek. Nawet z odległości ponad trzystu metrów sprawiał przerażające wrażenie. Przytłaczał wysokością i ciężarem. Promienie słońca odbijały się od czterystu pięćdziesięciu okien w metalowych ramach. Niebieska okładzina fasady odpychała chłodem i matowością. Jensenowi przyszło do głowy, że budynek zawali się nawet bez ładunków wybuchowych, ziemia rozstąpi się pod tak niewyobrażalnym ciężarem, a ściany popękają od nacisku, na który są wystawione.

Z głównego wyjścia wychodziła niekończąca się kolumna ludzi. Wiła się w stronę parkingu, zakręcała wśród stojących tam samochodów, przechodziła przez zakratowane bramy w wysokim stalowym ogrodzeniu, kierowała się w dół zbocza po przekątnej nad szarym wybetonowanym placem, gdzie stały zabudowania biurowe, w których obsługiwano ciężarówki. Za rampami i niskimi, ciągnącymi się na dużej przestrzeni budynkami paczkowni kolumna ludzi zamieniała się w szarą, rozproszoną masę. Mimo znacznej odległości Jensen zauważył, że prawie dwie trzecie personelu stanowiły kobiety i że większość z nich miała na sobie zielone ubrania. Prawdopodobnie był to kolor wiosny.

Dwa duże czerwone wozy strażackie z wężami i składanymi drabinami wtoczyły się na parking i zatrzymały w pobliżu wejścia. W środku, po obu bokach, siedzieli strażacy w lśniących w słońcu stalowych hełmach. Wszystko odbywało się w spokoju. Nie było słychać ani syren alarmowych, ani innych głośnych dźwięków.

O 13.57 ludzka fala się przerzedziła, a po minucie z budynku wychodziły ostatnie, pojedyncze osoby.

Chwilę później przed wejściem pojawił się samotny mężczyzna. Jensen zmrużył oczy i od razu go poznał. Był to dowódca grupy operacyjnej złożonej z ubranych po cywilnemu policjantów.

Jensen spojrzał na stoper. 13.59. Za sobą słyszał nerwowe ruchy zastępcy dyrektora.

Strażacy trwali na swoich miejscach. Dowódca grupy, którego Jensen przed chwilą widział, zniknął gdzieś. Budynek był pusty.

Jensen rzucił ostatnie spojrzenie na stoper. Potem skierował wzrok na budynek i zaczął odliczać.

Gdy doszedł do piętnastu, sekundy wydawały się coraz dłuższe.

Czternaście... trzynaście... dwanaście... jedenaście... dziesięć... dziewięć... osiem... siedem... sześć... pięć... cztery... trzy... dwa... jeden...

— Zero — rzekł Jensen.

4

— To poważne przestępstwo — powiedział komendant policji.

— Ale tam nie było żadnej bomby. I nic się nie wydarzyło. Po godzinie alarm przeciwpożarowy został odwołany, a pracownicy wrócili do zajęć. Przed czwartą wszystko funkcjonowało normalnie.

— Mimo wszystko to poważne przestępstwo — upierał się komendant.

Mówił lekko natarczywym, trochę błagalnym tonem, jakby przez cały czas starał się przekonać nie tylko swego rozmówcę, ale także samego siebie.

— Sprawca musi zostać zatrzymany — powiedział.

— Prowadzimy dochodzenie w tej sprawie.

— To nie może być typowe, rutynowe dochodzenie. Musicie znaleźć winnego.

— Rozumiem.

— Proszę mnie przez chwilę posłuchać. Nie chcę

wypowiadać się krytycznie w sprawie metod, jakimi się posłużyliście...

— Zrobiłem tylko to, co było możliwe. Ryzyko okazało się zbyt duże. Chodziło o życie setek, a może nawet tysięcy ludzi. Gdyby budynck zaczął sic palić, nicwiclc moglibyśmy zrobić. Drabiny strażackie sięgają zaledwie do siódmego albo ósmego piętra. Strażacy musieliby gasić pożar od dołu, a ogień przez cały czas przenosiłby się w górę. Poza tym budynek ma sto dwadzieścia metrów wysokości. Powyżej trzydziestu metrów drabiny strażackie są bezużyteczne.

— Oczywiście, ja to wszystko rozumiem. I wcale pana nie krytykuję, jak już zaznaczyłem. Niestety, kierownictwo koncernu jest oburzone. Przerwa w pracy kosztowała ich podobno dwa miliony koron. Prezes osobiście rozmawiał z ministrem spraw wewnętrznych. Bezpośrednio nas jednak nie skrytykował.

Przerwa.

— Dzięki Bogu — dodał komendant. — To nie była bezpośrednia krytyka.

Jensen nie odpowiedział.

— Był tylko bardzo wzburzony. Zarówno z powodu strat finansowych, jak i niedogodności, na które zostali narażeni. Tak właśnie brzmiały jego słowa.

— Rozumiem.

— Żądają, abyśmy znaleźli sprawcę tego zamieszania. I to natychmiast.

— To może potrwać. List to jedyny ślad, jaki mamy.

— Wiem. Ale wszystko trzeba będzie wyjaśnić.

— Tak.

— To bardzo delikatna sprawa. Poza tym, jak już wspomniałem, pilna. Od tej pory pozostałe dochodzenia schodzą na drugi plan. Trzeba je będzie potraktować jako sprawy mniejszej rangi.

— Rozumiem.

— Mamy dziś poniedziałek. Daję panu tydzień, nie więcej. Siedem dni.

— Rozumiem.

— Niech pan obejmie bezpośredni nadzór. Dostanie pan oczywiście do dyspozycji wszystko, co będzie konieczne, ale nikomu z działu technicznego nie mówcie, o co chodzi. Jeśli będziecie chcieli coś skonsultować, to wyłącznie ze mną.

— Chcę tylko przypomnieć, że ludzie z grupy operacyjnej już wiedzą o sprawie.

— Tak, to fatalnie. Trzeba im nakazać całkowite milczenie.

— Oczywiście.

— Musi pan osobiście poprowadzić najważniejsze przesłuchania.

— Zrozumiałem.

— I jeszcze jedno: zarząd koncernu nie chce, żeby w trakcie dochodzenia w jakikolwiek sposób mu przeszkadzano. Ma bardzo ograniczony czas. Jeśli uzna pan za konieczne złożenie wyjaśnień przez członków zarządu, woleliby je przekazać za pośrednictwem zastępcy dyrektora wydawnictwa.

— Rozumiem.

— Już go pan chyba poznał?

— Tak.

— I jeszcze coś...

— Słucham.

— Musi pan schwytać sprawcę. Od tego zależy dalsza pana kariera.

Jensen odłożył słuchawkę. Oparł się łokciami o zieloną podkładkę na biurku i ukrył twarz w dłoniach. Był na służbie już od piętnastu godzin i czuł wielkie zmęczenie.

Wstał z krzesła, rozprostował plccy, wyszcdł na korytarz i zszedł krętymi schodami do dyżurki. Jej wyposażenie było bardzo stare. Wszystkie sprzęty miały ten sam zielony kolor, który pamiętał jeszcze z czasów, gdy przed dwudziestu pięciu laty patrolował ulice jako zwykły policjant. W poprzek pomieszczenia ciągnął się długi drcwniany kontuar, za którym widać było przymocowane do ściany ławki i szereg oszklonych pomieszczeń służących do przesłuchiwania świadków i podejrzanych. O tej porze dnia w pomieszczeniu nie było jeszcze zbyt wiele osób. Kilku pijaków i parę spuchniętych prostytutek w średnim wieku, może trochę starszych. Zatrzymani kulili się na ławkach w oczekiwaniu na swoją kolej. Za kontuarcm sicdział policjant w zielonym lnianym mun-

35

durze. To on pełnił dyżur telefoniczny. Od czasu do czasu rozlegał się szum przejeżdżających samochodów, który odbijał się od sufitu.

Jensen otworzył stalowe drzwi i zszedł do podziemia. Szesnasty komisariat miał już swoje lata, prawdopodobnie był najstarszym komisariatem w tej części miasta. Widać było, że jest zaniedbany. Za to cele aresztu przeszły generalny remont. Sufit, ściany i podłoga zostały pomalowane na biało, a okratowane drzwi lśniły w blasku światła.

Przy bramie prowadzącej na dziedziniec stał policyjny mikrobus z otwartymi tylnymi drzwiami. Kilku umundurowanych policjantów wyprowadzało z niego grupę pijaków, żeby ich obszukać. Obchodzili się z nimi dość bezceremonialnie. Jensen wiedział, że wynika to raczej ze zmęczenia niż z brutalności. Przeszedł przez pomieszczenie, gdzie przeprowadzano obszukanie, obserwując zapite, żałosne twarze pijaków.

Chociaż pijaństwo podlegało surowym karom, skala zjawiska rosła z roku na rok. A kiedy na dodatek rząd wprowadził zakaz nadużywania alkoholu także w domu, policji przybyło mnóstwo dodatkowej pracy. Każdego wieczoru policjanci zatrzymywali od dwóch do trzech tysięcy pijanych osób. Prawie połowę z nich stanowiły kobiety. W czasach kiedy Jensen sam patrolował ulice, trzystu zatrzymanych pijaków uważano za bardzo dużą liczbę.

Pod mikrobus podjechała karetka pogotowia. Wyszedł z niej młody mężczyzna w sportowej czapce. Był to policyjny lekarz.

— Pięciu z nich musimy odwieźć do szpitala na płukanie żołądka — powiedział. — Wolałbym ich tu nie trzymać. Nie chcę za nich odpowiadać.

Jensen skinął głową.

— Czy to nie jest porąbane? — spytał lekarz. — Państwo nakłada na wódkę podatek w wysokości pięciu tysięcy procent, a jednocześnie doprowadza ludzi do stanu, w którym wielu próbuje zapić się na śmierć. Na dodatek tylko w naszym mieście państwo zarabia trzysta tysięcy koron dziennie na samych grzywnach.

— Powinien pan uważać na to, co mówi — powiedział Jensen.

5

Komisarz Jensen mieszkał w dzielnicy położonej na południe od miasta, niedaleko centrum. Żeby dojechać tam radiowozem, potrzebował niecałą godzinę. W centrum miasta panował ożywiony ruch. Bary szybkiej obsługi i kina były otwarte, a ludzie tłoczyli się na chodnikach przed oświetlonymi witrynami sklepowymi. Mieli blade, zmęczone twarze, mrużyli oczy przed dokuczliwym, zimnym światłem ulicznych latarni i neonów. Gdzieniegdzie widać było grupki młodzieży skupione bezczynnie wokół stoisk z prażoną kukurydzą albo przed witrynami sklepów. Młodzi ludzie stali przeważnie w milczeniu, prawie ze sobą nie rozmawiali. Kilkoro z nich spojrzało obojętnym wzrokiem na radiowóz.

W ciągu ostatnich dziesięciu lat przestępczość wśród młodzieży, którą wcześniej uważano za poważny problem, stopniowo malała, a w obecnych czasach udało się ją prawie całkowicie zlikwidować. Nie wnikając w szczegóły, popełniano mniej przestępstw niż poprzednio. Rosło za to pijaństwo. W dzielnicach handlowych Jensen zauważył wielu umundurowanych policjantów. Kiedy wprowadzali zatrzymanych do policyjnych mikrobusów, w świetle ulicznym błyszczały białe gumowe pałki.

Jensen zjechał do podziemnego tunelu przy Ministerstwie Spraw Wewnętrznych i po ośmiu kilometrach dotarł do opustoszałej dzielnicy przemysłowej. Minął most i skierował się autostradą na południe.

Był już zmęczony i po prawej stronie jamy brzusznej odczuwał tępy, silny ból.

Ta część przedmieścia, w której mieszkał, składała się z trzydziestu sześciu ośmiopiętrowych bloków stojących w czterech równoległych rzędach. Między budynkami znajdowały się parkingi, trawniki i place zabaw dla dzieci.

Jensen zatrzymał się przed siódmym domem w trzecim rzędzie, wyłączył silnik i wysiadł z wozu. Noc była chłodna, niebo czyste, pełne gwiazd. Chociaż dopiero minęła jedenasta, światła w wielu oknach były już zgaszone. Wrzucił monetę do automatu parkingowego, przekręcił pokrętło z czerwoną wskazówką godzinną i skierował się do swojego mieszkania.

Zapalił światło, zdjął płaszcz, buty, krawat i marynarkę. Rozpiął koszulę i wszedł do pokoju. Spojrzał na proste meble, duży telewizor i fotografie ze szkoły policyjnej wiszące na ścianie.

Zasunął żaluzje, zdjął spodnie i zgasił światło. Poszedł do kuchni i wyjął z lodówki butelkę. Wziął szklankę, ściągnął narzutę i kołdrę i usiadł na łóżku.

Siedział w ciemnościach i pił. Kiedy ból w brzuchu ustąpił, odstawił szklankę na szafkę i położył się. Prawie natychmiast zasnął.

6

Obudził się o wpół do siódmej. Wstał i poszedł do łazienki. Zimną wodą umył ręce, twarz i kark, ogolił się i wyszorował zęby. Kiedy wypłukał usta, przez długi czas kaszlał.

Potem zagotował wodę z miodem i wypił ją, póki była gorąca. Jednocześnie czytał gazety. Żadna z nich nie informowała o wydarzeniach z poprzedniego dnia.

Ruch na autostradzie był już spory i chociaż włączył syrenę, do biura dotarł dopiero za dwadzieścia pięć dziewiąta. Dziesięć minut później zadzwonił komendant.

— Czy rozpoczął pan dochodzenie?

— Tak.

— Na podstawie czego?

— Analizujemy materiał dowodowy zabezpieczony przez techników. Psychologowie studiują treść listu. Jeden z ludzi próbuje dowiedzieć się czegoś na poczcie.

— Są już jakieś wyniki?

— Na razie nie.

— Czy ma pan jakąś własną teorię?

— Nie.

Przerwa.

— Wstępne dane, jakie mam na temat tej firmy, są niewystarczające — podjął Jensen.

— Dobrze byłoby je odświeżyć.

— Tak.

— Jeszcze lepiej będzie, jeśli znajdzie pan źródła informacji gdzieś poza firmą.

— Rozumiem.

— Proponuję Ministerstwo Komunikacji, na przykład sekretarza stanu do spraw kontaktów z prasą.

— Rozumiem.

— Czy pan czyta ich gazety?

— Nie. Ale teraz zacznę.

— Dobrze. I na miłość boską, proszę nie denerwować redaktora i jego kuzyna.

— Czy są jakieś przeszkody do wyznaczenia kilku wywiadowców do ochrony?

— Ochrony kierownictwa firmy?

— Tak.

— Bez ich wiedzy?

— Tak.

— Czy uważa pan ten środek za uzasadniony?

— Tak.

— Sądzi pan, że wasi ludzie sobie z tym poradzą?

— Tak.

Zapadło tak długie milczenie, że Jensen zaczął patrzyć na zegarek. Usłyszał, jak komendant głośno wzdycha i uderza czymś o blat biurka. Zapewne był to ołówek.

— Jensen?

— Tak?

— Od tej chwili jest pan osobiście odpowiedzialny za całe dochodzenie. Nie chcę być informowany o metodach ani środkach, którymi będzie się pan posługiwał.

— Rozumiem.

— Powtarzam: jest pan za wszystko osobiście odpowiedzialny. Ufam panu.

— Rozumiem.

— Czy ogólne wskazówki w sprawie dochodzenia są całkowicie jasne?

— Tak.

— No to powodzenia.

Jensen poszedł do toalety, nalał wody do kartonowego kubka, wrócił i znowu usiadł przy biurku. Wyciągnął szufladę i wyjął z niej opakowanie *natrium bicarbonicum*. Nasypał do kubka trzy łyżeczki białego proszku i wymieszał plastikową łyżeczką z wodą.

Przez dwadzieścia pięć lat służby w policji widział komendanta tylko raz, a wczoraj po raz pierwszy z nim rozmawiał. Od tamtej pory odbyli już pięć rozmów.

Jednym haustem wychylił zawartość kubka, zmiął go i wrzucił do kosza. Potem zadzwonił do działu technicznego. Głos laboranta był suchy i rzeczowy.

— Nie, na liście nie ma żadnych odcisków palców.

— Jest pan pewien?

— Oczywiście. Ale dla nas nie ma spraw zakończonych. Spróbujemy innych metod analizy.

— A co z kopertą?

— Zwykła koperta, jakich pełno w sprzedaży. Na razie niewiele się z niej dowiedzieliśmy.

— Papier listowy?

— Wydaje się, że ma dość szczególną strukturę. Poza tym wygląda tak, jakby ktoś oderwał go przy samym brzegu.

— Czy dowiemy się czegoś więcej?

— To niewykluczone.

— Co poza tym?

— Nic. Ciągle badamy dowód.

Jensen odłożył słuchawkę, podszedł do okna i spojrzał na wybetonowany dziedziniec. Przy wejściu do pomieszczenia, gdzie odbywają się przeszukania aresztantów, zauważył dwóch policjantów w gumowych butach i przeciwdeszczowych kurtkach. Rozwijali gumowe węże, żeby wymyć cele aresztu. Jensen rozluźnił pasek w spodniach i nabrał głęboko powietrza.

W tym momencie zadzwonił telefon. Zameldował się policjant wysłany na pocztę.

— Zabrało mi to trochę czasu.

— Wykorzystuj racjonalnie czas. Tyle, ile potrzebujesz, ale nie więcej.

— Jak często mam składać raporty?

— Codziennie o ósmej rano, pisemnie.

Jensen odłożył słuchawkę, zdjął kapelusz z wieszaka i wyszedł z pokoju.

Ministerstwo Komunikacji znajdowało się w centrum miasta, między zamkiem królewskim a główną kancelarią współrządzących partii. Sekretarz stanu do spraw kontaktów z prasą miał swoje biuro na drugim piętrze. Okna pokoju wychodziły na zamek.

— Ta firma jest zarządzana wzorowo — rzekł sekretarz. — Stanowi chlubę wolnej przedsiębiorczości.

— Rozumiem.

— Oznacza to, że mogę panu pomóc jedynie w ten sposób, że przekażę trochę danych statystycznych.

Sekretarz sięgnął po segregator i zaczął z roztargnieniem przerzucać strony.

— Firma wydaje sto czterdzieści cztery różne publikacje. W zeszłym roku łączny nakład osiągnął dwadzieścia jeden milionów trzysta dwadzieścia sześć tysięcy czterysta pięćdziesiąt trzy egzemplarze. Tygodniowo.

Jensen zanotował dane na kartce.

— To bardzo duża liczba. Oznacza, że nasz kraj ma najwyższy poziom czytelnictwa na świecie.

— Czy nie istnieją żadne inne tygodniki?

— Niewiele, ale ich łączny nakład wynosi kilka tysięcy egzemplarzy. Są dystrybuowane na niewielkim terenie.

Jensen skinął głową.

— Samo wydawnictwo stanowi tylko jedno z wielu przedsiębiorstw wchodzących w skład koncernu.

— Co to za firmy?

— Jeśli chodzi o nasze ministerstwo, to mamy do czynienia z siecią drukarni, które głównie zajmują się drukowaniem gazet codziennych.

— Ile ich jest?

— Tych drukarni? Trzydzieści sześć.

— A gazet?

— Ponad sto. Chwileczkę...

Przez chwilę sekretarz przeglądał dokumenty.

— Sto dwie. Jeśli chodzi o gazety, ich struktura wydawnicza ulega ciągłym zmianom. Niektóre kończą żywot, w ich miejsce pojawiają się nowe.

— Dlaczego?

— Żeby zaspokoić nowe potrzeby i podążać z duchem czasu.

Jensen skinął głową.

— Jeśli chodzi o łączny nakład dzienników w zeszłym roku...

— Tak?

— Mam tylko dane dotyczące całkowitego nakładu gazet w skali całego kraju. To dziewięć milionów dwieście sześćdziesiąt tysięcy trzysta dwanaście egzemplarzy dziennie. W tym wypadku jest podobnie. Istnieją też pojedyncze gazety niezależne od koncernu. Mają kłopoty z dystrybucją i niewielkie nakłady. Jeśli od podanej wcześniej liczby odejmie pan około pięciu tysięcy, otrzyma pan mniej więcej właściwą liczbę.

Jensen dopisał na kartce liczbę 9 260 000.

— Kto sprawuje nadzór nad dystrybucją?

— Demokratyczne stowarzyszenie wydawców gazet.

— Wszystkich wydawców?

— Tak, pod warunkiem że nakład danej gazety wynosi ponad pięć tysięcy egzemplarzy.

— Dlaczego?

— Niższe nakłady są nieopłacalne, dlatego koncern likwiduje wydawnictwa, których nakład spada poniżej tej liczby.

Jensen schował kartkę do kieszeni.

— W praktyce oznacza to, że koncern kontroluje wszystkie wydawnictwa w naszym kraju?

— Można tak powiedzieć. Chcę jednak podkreślić, że są to wydawnictwa różnorodne i godne pochwały pod każdym względem. Dotyczy to zwłaszcza tygodników, którym udaje się w odpowiedni sposób zaspokajać różnorodne potrzeby czytelników. Dawniej prasa odwoływała się do nie najlepszych gustów. Teraz już tak nie jest. Szata graficzna i treść dopasowane są do oczekiwań czytelników...

Sekretarz zajrzał do segregatora i przerzucił kartkę.

— ...i ich upodobań. Szanują rodzinę, nie chcą wywoływać agresji, niezadowolenia czy niepokoju. Zaspokajają też potrzeby przeciętnego obywatela w zakresie postaw eskapistycznych. Mówiąc w skrócie, służą powszechnej zgodzie.

— Rozumiem.

— Zanim pojawiła się taka tendencja, wydawanie gazet odbywało się w sposób bardziej rozproszony niż teraz. Partie polityczne i związki zawodowe prowadziły własne wydawnictwa. Kiedy jednak ich gazety wpadły w kłopoty finansowe, zostały zlikwidowane i przejął je koncern. Dzięki temu wiele z nich udało się uratować...

— Naprawdę?

— Stało się tak wskutek zastosowania wspomnianych wyżej zasad oraz umiejętności zapewnienia czytelnikom spokoju i poczucia bezpieczeństwa. Podkreślić trzeba dbałość o zrozumiały i nieskomplikowany język oraz dopasowanie się do współczesnych gustów i stopnia percepcji.

Jensen skinął głową.

— Uważam, że nie będzie przesadą, jeśli powiem, że jednolita prasa bardziej niż cokolwiek innego przyczyniła się do zaprowadzenia powszechnej zgody i zrozumienia. Zakopała przepaść dzielącą partie polityczne, usunęła rozdźwięki między monarchią a republiką, między tak zwaną klasą wyższą a...

W tym momencie sekretarz umilkł i spojrzał przez okno. Po chwili kontynuował:

— Nie przesadzę, jeśli powiem, że wszystko to jest zasługą kierownictwa koncernu. To niezwykli ludzie o bardzo wysokim morale. Nie ma w nich nawet odrobiny próżności, nie są łasi na tytuły, nie pragną władzy ani...

— Bogactwa?

Sekretarz obrzucił Jensena szybkim spojrzeniem.

— Właśnie — powiedział.

— Jakie inne firmy koncern kontroluje?

— Z tego, co wiem... hm... dystrybutorów, oczywiście przemysł papierniczy i... to jednak nie należy do mojego departamentu. — Sekretarz utkwił wzrok w Jensenie. — Nie sądzę, żebym mógł udzielić panu w tym zakresie jakichś wartościowych informacji — dodał. — A tak przy okazji, skąd to zainteresowanie?

— Takie otrzymałem polecenie — odparł Jensen.

— Zmieńmy temat. W jakim stopniu nowe uprawnienia policji wpłynęły na statystyki?

— Na przykład częstotliwość popełnianych samobójstw?

— No właśnie.

— Pozytywnie.

— To wspaniała wiadomość.

Jensen zadał jeszcze cztery pytania.

— Czy działalność koncernu nie stoi w sprzeczności z ustawą antymonopolową?

— Nie jestem prawnikiem.

— Jakie są obroty koncernu?

— To sprawa dotycząca finansów i podatków.

— A prywatne majątki właścicieli?

— Nie da się ich oszacować.

— Czy pan też pracował w koncernie?

— Tak.

W drodze powrotnej Jensen zatrzymał się w fast foodzie, wypił herbatę i zjadł dwa żytnie sucharki.

Zastanawiał się nad częstotliwością popełnianych samobójstw. Statystyki znacznie się poprawiły, odkąd wprowadzono nową ustawę o nadużywaniu alkoholu. Urzędy zajmujące się tą tematyką nie podawały żadnych danych, a samobójstwa popełniane na komisariatach rejestrowano jako przypadki nagłej śmierci. Chociaż zatrzymanych dokładnie obszukiwano, takie przypadki w dalszym ciągu się zdarzały, i to wcale nie tak rzadko.

Kiedy Jensen dotarł do komisariatu, była już druga, co oznaczało, że statystyki pijaństwa rosły z każdą chwilą. To, że nie rosły wcześniej, wynikało z faktu, że policja starała się unikać interwencji przed dwunastą. Tę powszechnie stosowaną zasadę przyjęto ze względów higienicznych, żeby zdążyć wydezynfekować cele aresztów.

Lekarz policyjny stał w dyżurce i palił papierosa, wspierając się łokciem o drewniany kontuar. Miał na sobie pomarszczony i poplamiony krwią fartuch. Jensen spojrzał na niego krytycznym wzrokiem. Lekarz się domyślił dlaczego i wyjaśnił:

— To nic wielkiego. Jeden z tych biedaków... Już nie żyje. Przyszedłem za późno.

Jensen skinął głową.

Lekarz miał spuchnięte powieki, czerwone obwódki wokół oczu i żółte drobiny ropy na rzęsach. Spojrzał w zamyśleniu na Jensena i zapytał:

— Czy to prawda, że nigdy nie nawalił pan ze śledztwem?

— Tak — odparł Jensen. — To prawda.

7

Jensen znalazł na biurku czasopisma, o które prosił. Sto czterdzieści cztery egzemplarze ,ułożone w czterech stosach, po trzydzieści sześć w każdym.

Wypił z kubka swoje lekarstwo i popuścił pasek o kolejną dziurkę. Potem rozsiadł się przy biurku i zaczął czytać.

Szata graficzna poszczególnych czasopism różniła się w zależności od formatu, treści i liczby stron. Niektóre drukowano na gładkim papierze, inne nie. Z porównania wynikało, że właśnie ten czynnik wpływał decydująco na cenę.

Każde z czasopism miało kolorową okładkę. Pojawiali się na nich bohaterowie Dzikiego Zachodu, supermeni, członkowie rodzin królewskich, piosenkarze i piosenkarki, gwiazdy telewizyjne, słynni politycy, dzieci i zwierzęta. Często na tym samym zdjęciu widać było dzieci razem ze zwierzętami, w różnym układzie, na przykład: dziewczynki z małymi kotkami, mali, jasnowłosi chłopcy ze szczeniaczkami, mali chłopcy z dużymi psami albo prawie dorosłe dziewczyny z małymi kotkami. Ludzie prezentowani na okładkach mieli ładny wygląd, niebieskie oczy i zwyczajne twarze. Dotyczyło to także dzieci. Nawet zwierzęta niczym się nie wyróżniały. Kiedy Jensen sięgnął po szkło powiększające i przyjrzał się niektórym zdjęciom z bliska, zauważył, że fragmenty twarzy niektórych osób sprawiają wrażenie pozbawionych życia, jakby ktoś usunął z fotografii na przykład brodawki, pryszcze albo siniaki.

Czytał leżące przed nim pisma szybko i uważnie niczym policyjne raporty. Nie pomijał nawet fragmentów, których spodziewał się w danym miejscu. Już po godzinie zauważył, że takie fragmenty pojawiają się coraz częściej.

O dwunastej miał za sobą siedemdziesiąt dwa tytuły, czyli dokładnie połowę. Zszedł do dyżurki, zamienił kilka słów z dyżurnym i wypił kawę w stołówce. Zza stalowych drzwi i grubych, ceglanych murów, z pomieszczeń pod parterem, dobiegały krzyki i przerażone wycie. Wracając na górę, zauważył, że dyżurny czyta czasopismo, które on sam przed chwilą przeglądał. Trzy inne leżały na półce pod kontuarem.

Żeby przeczytać drugą połowę czasopism, Jensen potrzebował już tylko dwie trzecie czasu, jaki zużył na przeczytanie pierwszej połowy. Za dwadzieścia trzecia odłożył ostatni magazyn i zatrzymał wzrok na twarzy na okładce.

Potarł palcami policzki i poczuł, że skóra pod zarostem jest jakby obwisła i zmęczona. Nie chciało mu się spać, a dzięki wypitej herbacie nie czuł jeszcze głodu. Pochylił się nad biurkiem, oparł lewy łokieć o poręcz krzesła, a policzek o dłoń. Ponownie spojrzał na czasopisma.

W żadnym nie znalazł ani jednego tekstu, który by go zainteresował. Nie znalazł też nic, co mogłoby wywołać w nim jakieś niemiłe skojarzenie, oburzenie albo niesmak, radość, złość, smutek, zdziwienie. Dowiedział się wielu rzeczy, głównie na temat samochodów albo znanych postaci, ale żadna z tych informacji nie mogła w jakikolwiek sposób wpłynąć na jego zachowanie lub sposób myślenia. Zdarzały się opinie krytyczne, ale dotyczyły prawie wyłącznie osławionych psychopatów albo stosunków panujących w odległych krajach. Jednakże podawano je w dość ogólnej, ostrożnej formie.

Niektóre sprawy stawały się przedmiotem dyskusji. Najczęściej dotyczyły telewizyjnych programów rozrywkowych. Na przykład gdy ktoś użył niecenzuralnego słowa, pojawił się na ekranie nieogolony albo nieuczesany. Kwestie te omawiano w wielu tytułach na głównych kolumnach, w duchu zrozumienia i w taki sposób, żeby pokazać, iż każda ze stron ma rację. Najczęściej tak właśnie było.

Sporo miejsca zajmowały bajki. Towarzyszyły im zawsze barwne, realistyczne ilustracje. Podobnie jak inne artykuły opowiadały o ludziach, którzy odnosili sukcesy w sprawach osobistych i zawodowych. Bajki nie zawsze miały tę samą szatę graficzną, ale z tego, co zauważył Jensen, wynikało, że bajki drukowane na lepszym papierze nie są bardziej skomplikowane od tych, które drukowano w czasopismach gorszej jakości.

Nie uszło jego uwagi, że czasopisma są kierowane do różnych klas społecznych. Jednakże ich treść była zawsze taka sama: chwalono tych samych ludzi, opowiadano te same bajki i chociaż różniły się stylem, po dokładniejszym zapoznaniu się z całością można było dojść do wniosku, że napisała je ta sama osoba.

Jensen nie potrafił sobie wyobrazić sytuacji, aby treść publikacji mogła kogokolwiek urazić. Wprawdzie autorzy tekstów zajmowali się prywatnymi sprawami różnych osób, ale nigdy nie kwestionowali ich pozytywnych cech lub nienagannej postawy moralnej. Zdarzało się, że osoby, które odniosły sukces, nie zostały wymienione albo że pisano o nich mniej niż o innych, ale był to niepewny trop, a poza tym wydawał się mało prawdopodobny.

Jensen wyjął z kieszeni białą kartkę i napisał na niej eleganckim pismem: „144 gazety. Żadnej myśli przewodniej".

Kiedy wracał do domu, poczuł głód. Zatrzymał się przy automacie z przekąskami. Kupił dwie kanapki zapakowane w celofan i zjadł je po drodze.

Gdy dotarł na miejsce, ból po prawej stronie brzucha bardzo mu dokuczał.

Rozebrał się po ciemku, przyniósł butelkę i szklankę. Odsunął narzutę, kołdrę i usiadł na łóżku.

8

— Chcę dostawać raport codziennie przed dziewiątą.
Na piśmie. Ma zawierać wszystko, co może być istotne.

Szef wywiadowców skinął głową i wyszedł.

Była środa, tuż po dziewiątej. Komisarz Jensen podszedł
do okna i spojrzał na ubranych w kurtki mężczyzn, którzy
trzymali w rękach gumowe węże i wiadra ze środkami
dezynfekcyjnymi.

Potem usiadł przy biurku i zaczął czytać raporty. Dwa
z nich były bardzo krótkie.

Policjant, który był na poczcie, napisał: „List został
wysłany w jednej z zachodnich dzielnic, nie wcześniej
niż o 21.00 w niedzielę, nie później niż o 10.00 w poniedziałek rano".

Laboratorium: „Zakończono analizę papieru. Biały
papier bezdrzewny wysokiej jakości. Miejsce produkcji
nieznane. Rodzaj kleju: zwykły klej biurowy, film roz-
puszczony w acetonie. Producent: nie do określenia".

Psycholog: „Można przyjąć, że autor listu odznacza się nieustępliwą naturą, być może cierpi na obsesje. W żadnym wypadku nie ma mowy o elastyczności charakteru. Jednakże można założyć, że jest osobą dokładną, na granicy pedantyzmu lub perfekcjonizmu. Autor listu z łatwością wyraża swoje myśli zarówno w formie ustnej, jak i na piśmie, raczej jednak na piśmie, i to od wielu lat. Nie szczędził starań, wystosowując list. Dotyczy to zarówno treści, jak i strony techniczno-formalnej, na przykład dobór czcionki drukarskiej (wszystkie litery są jednakowej wielkości i równo ułożone). Wskazuje to na nieustępliwość i brak swobody myślenia. Niektóre szczegóły związane z doborem słów mogą wskazywać na to, że autor listu to mężczyzna, prawdopodobnie niezbyt młody, do tego dziwak, oryginał. Żadna z tych opinii nie jest wystarczająco podbudowana dowodami, aby uznać je za ostateczne, mogą ewentualnie stanowić rodzaj wskazówek".

Ekspertyza została napisana na maszynie, w sposób niedbały, z wieloma błędami i przekreśleniami, druk był nierówny.

Jensen włożył wszystkie trzy raporty w dziurkacz, a potem wpiął je do zielonego segregatora, który leżał po lewej stronie biurka. Następnie wstał, zdjął kurtkę z wieszaka i wyszedł z pokoju.

Na dworze utrzymywała się ładna pogoda. Słońce świeciło ostrym, białym blaskiem, ale nie przybywało od tego zbyt dużo ciepła. Niebo miało jasnoniebieski kolor, a powietrze — mimo chmur spalin — wydawało się czyste i przejrzyste. Chodnikami szli ludzie, którzy na chwilę wysiedli z samochodów. Jak zwykle byli elegancko ubrani i niewiele się od siebie różnili. Poruszali się szybko i nerwowo, jakby chcieli jak najszybciej wrócić do swoich aut. To w nich czuli się najpewniej. Samochody różniły się między sobą kolorem, rozmiarami, kształtem karoserii i mocą silnika, dzięki czemu nadawały swoim właścicielom określoną tożsamość. Poza tym dzieliły wszystkich na grupy. Właściciele podobnych samochodów odnosili wrażenie, że należą do kategorii ludzi, którzy w jakiś sposób wyróżniają się z wielkiej ludzkiej masy stanowiącej całość.

Jensen czytał o tym w opracowaniu, które dostał z Ministerstwa Pracy i Spraw Socjalnych. Sporządziło je kilku psychologów na zlecenie władz. Opracowanie trafiło do najwyższego kierownictwa policji. Jego treść postanowiono utajnić.

Jadąc w stronę siedziby koncernu, Jensen z roztargnieniem słuchał meldunków przekazywanych w równym odstępie czasu przez policyjne radio pieszym patrolom i radiowozom. Wiedział, że dziennikarze zatrudnieni w gazetach i oddelegowani do kontaktów z policją mają pozwolenie na podsłuchiwanie takich rozmów. Jednakże oprócz wypadków samochodowych nigdy nie działo się nic, co można by określić mianem sensacji.

Jensen wjechał na plac i zaparkował między czarnym samochodem prezesa a białym wozem należącym do zastępcy dyrektora wydawnictwa.

Od razu podszedł do niego ochroniarz w białym mundurze i czerwonej czapce z daszkiem. Jensen pokazał mu odznakę służbową i wszedł do budynku.

Szybka winda zatrzymała się automatycznie na osiemnastym piętrze. Jednakże do biura wpuszczono go dopiero po dwudziestu minutach. Czas oczekiwania spędził na studiowaniu modeli statków pasażerskich. Jeden nazwano imieniem i nazwiskiem premiera, drugi imieniem Jego Królewskiej Mości.

Do środka wprowadziła go młoda sekretarka ze zgaszonym wzrokiem, ubrana w zielony strój. Pokój przypominał gabinet, w którym był dwa dni wcześniej. Jedynie puchary w oszklonych gablotach wydawały się trochę mniejsze i widok z okna był inny.

Zastępca dyrektora przestał na chwilę piłować paznokcie i wskazał Jensenowi krzesło.

— Czy sprawa jest już zakończona?

— Niestety, nie.

— Gdyby potrzebował pan wsparcia albo dodatkowych informacji, otrzymałem polecenie, aby pomóc panu w każdy możliwy sposób. Więc jestem do dyspozycji.

Jensen skinął głową.

— Muszę pana jednak uprzedzić, że prawie ciągle jestem zajęty.

Jensen spojrzał na puchary i spytał:

— Uprawiał pan sport?

— Spędzam dużo czasu na świeżym powietrzu. Jestem aktywny. Żeglarstwo, łowienie ryb, strzelanie z łuku, golf... Oczywiście nie na tym samym poziomie, co...

Uśmiechnął się nieśmiało i wykonał ruch ręką w stronę drzwi. Po kilku sekundach kąciki ust znowu mu opadły. Spojrzał na swój duży, elegancki zegarek z szeroką złotą bransoletą.

— W czym mogę panu pomóc?

Jensen już od dawna miał w głowie pytania, które zamierzał mu zadać.

— Czy zdarzyło się coś, co może wyjaśnić, skąd w liście wzięło się stwierdzenie „popełniono zbrodnię w budynku"?

— Oczywiście, że nie.

— Nie potrafi pan tego wytłumaczyć, określić kontekstu, powiązać z osobą albo wydarzeniem?

— Nie, oczywiście, że nie. To jakieś wierutne brednie. Wymysły szaleńca. Moim zdaniem to jedyne wyjaśnienie.

— Nie odnotowano żadnego śmiertelnego wypadku?

— W każdym razie nie ostatnio. W tych sprawach jednak proponuję się zwrócić do kierownika kadr. Jestem dziennikarzem, odpowiadam za treść gazet i za redakcję tekstów. I...

— Tak?

— I uważam, że bada pan niewłaściwy ślad. Czy nie widzi pan, że takie myślenie jest absurdalne?

— Jakie myślenie?

Mężczyzna w jedwabnym krawacie spojrzał na Jensena bezradnym wzrokiem.

— Mam jeszcze jedno pytanie — powiedział Jensen. — Jeśli założymy, że list miał przestraszyć kierownictwo firmy lub osobę należącą do niego, to w jakiej kategorii ludzi powinniśmy szukać sprawcy?

— Rozstrzyganie takich kwestii należy do policji. Zresztą już wyraziłem swoją opinię: wśród chorych psychicznie.

— Czy zna pan jakąś konkretną osobę albo grupę osób, które mogą odczuwać niechęć do wydawnictwa lub do jego kierownictwa?

— A czy pan zna nasze gazety?

— Czytałem je.

— W takim razie powinien pan wiedzieć, że nasza polityka wydawnicza polega na tym, aby nie wywoływać niechęci, agresji lub sporów. Nasze gazety są proste i mają sprawiać radość. Ich celem nie jest komplikowanie ani egzystencji naszym czytelnikom, ani ich życia uczuciowego. — Zastępca zrobił krótką przerwę. — Nasze wydawnictwo nie ma wrogów. Szefowie też. To niedorzeczna myśl.

Jensen siedział wyprostowany, bez ruchu. Jego twarz absolutnie nic nie wyrażała.

— Być może będę musiał przeprowadzić rutynowe badania w tym budynku.

— W takim razie musi pan zachować całkowitą dyskrecję — odparł natychmiast zastępca. — O pana zadaniu wiedzą tylko trzy osoby w firmie: prezes koncernu, redaktor i ja. To oczywiste, że uczynimy wszystko, aby panu pomóc, ale muszę zwrócić uwagę na jedną rzecz: w żadnym wypadku nie może wyjść na jaw, że policja interesuje się naszym wydawnictwem. Nie mogą o tym wiedzieć zwłaszcza nasi pracownicy.

— Prowadzenie dochodzenia wymaga pewnej swobody działania.

Mężczyzna przez chwilę się zastanawiał, po czym powiedział:

— Mogę panu dać uniwersalny klucz i wystawić przepustkę, która pozwoli panu poruszać się po wszystkich działach.

— W porządku.

— W ten sposób... jeśli tak to mogę ująć... usprawiedliwimy pana obecność w firmie.

Zastępca zaczął bębnić palcami po biurku. W końcu uśmiechnął się grzecznie i tajemniczo i oznajmił:

— Osobiście ułożę treść przepustki i sam ją wypiszę. Tak będzie chyba najlepiej.

Jakby mimochodem wcisnął guzik widoczny obok wewnętrznego telefonu i w tej samej chwili spod blatu biurka wysunęła się płyta ze stojącą na niej maszyną do pisania. Miała opływowe kształty, lśniła chromem i lakierem i nic nie wskazywało na to, żeby ktokolwiek jej kiedykolwiek używał.

Zastępca wyciągnął jedną z szuflad i wyjął z niej niewielką niebieską kartkę. Odwrócił się na krześle, podwinął rękawy i dokładnie wsunął kartkę w walec maszyny. Przez chwilę był zajęty dobieraniem właściwych ustawień mechanizmu, w zamyśleniu potarł wskazującym palcem grzbiet nosa, wcisnął kilka klawiszy, przesunął okulary na czoło i spojrzał na to, co napisał. Wyciągnął kartkę z maszyny, zmiął ją, wrzucił do kosza i wyjął z szuflady nową.

Wsunął ją w maszynę i zaczął powoli pisać. Po każdym uderzeniu klawisza przesuwał okulary na czoło i dokładnie przyglądał się wynikowi swojej pracy.

Kiedy wyjął kartkę z maszyny, uśmiech na jego twarzy nie był już taki miły jak przed chwilą. Z szuflady wyjął następną. Potem jeszcze pięć.

Jensen siedział nieruchomo. Udawał, że na niego nie patrzy, tylko ogląda gablotę z pucharami i statkami.

Po siódmej próbie wypisania przepustki zastępca przestał się uśmiechać. Rozpiął kołnierz koszuli i poluzował krawat, wyjął z kieszeni na piersi wieczne pióro ze srebrnym monogramem i zaczął nim pisać coś na brudno na białym papierze listowym z delikatnym nadrukiem firmowym.

Jensen nie odzywał się i nie patrzył na niego.

W pewnej chwili z nosa zastępcy ściekła kropelka potu i spadła na kartkę.

Mężczyzna drgnął i zaczął pisać szybciej. Potem zmiął

kartkę i rzucił ją pod biurko. Nie trafił do kosza i kartka upadła koło nóg Jensena.

Zastępca wstał od biurka i podszedł do okna, otworzył je i stanął plecami do Jensena. Ten patrzył przez chwilę na zmiętą kartkę leżącą na podłodze, po czym podniósł ją i schował do kieszeni.

Tymczasem zastępca zamknął okno i z uśmiechem ruszył w stronę biurka. Zapiął koszulę, poprawił krawat i schował maszynę. Nacisnął guzik na klawiaturze wewnętrznego telefonu i powiedział do mikrofonu:

— Proszę wypisać druk potwierdzający czasowe zatrudnienie pana Jensena, upoważniający go do swobodnego pobytu na terenie całej firmy. Pan Jensen pracuje w dziale nadzoru. Termin ważności do niedzieli włącznie. Proszę mu też wydać klucz uniwersalny.

Zastępca wypowiedział te słowa twardym, rozkazującym tonem, ale na jego twarzy utrzymywał się uprzejmy uśmiech.

Po dziewięćdziesięciu sekundach do gabinetu weszła sekretarka w zielonym ubraniu. Przyniosła przepustkę i klucz. Zastępca zrobił poważną minę, spojrzał krytycznym wzrokiem na kartkę i powiedział, wzruszając ramionami:

— Niech będzie, powinno wystarczyć.

Sekretarka spojrzała na niego chmurnym wzrokiem.

— Powiedziałem, niech będzie. Może pani już iść.

Podpisał przepustkę, podał ją razem z kluczem Jensenowi i oświadczył:

— Klucz pasuje do wszystkich działów, które mogłyby pana zainteresować. Oczywiście z wyjątkiem prywatnych pomieszczeń prezesa i tego pokoju.

— Dziękuję.

— Czy ma pan jeszcze jakieś pytania? Bo jeśli nie... — Zastępca spojrzał z wyrazem żalu na zegarek.

— Jeszcze tylko jeden drobiazg — powiedział Jensen. — Co to jest dział specjalny?

— To grupa osób, która zajmuje się planowaniem nowych gazet.

Jensen skinął głową, schował klucz i przepustkę do kieszeni i wyszedł z pokoju.

Zanim zapuścił silnik, sięgnął po zmiętą kartkę. Wygładził ją i dotknął czubkami palców. Był to papier dobrej jakości, a jego format różnił się od przeciętnego.

Dyrektor miał niewyrobiony charakter pisma. Stawiał nierówne, koślawe litery, jak dziecko. Jednakże treść nie była nieczytelna. Jensen przeczytał to, co napisał jej autor:

Inspektor ds. nieruchomości ma tym samym

Pan N. Jensen pracuje jako inspektor w ramach
i posiada dostęp na wszystkie działy z wyjątkiem

N. Jensen jest pracownikiem działu nadzoru i ma
prawo wydziałów

Pan Jensen, posiadacz tej przepustki, otrzymuje niniejszym dostęp w koncernu

N. Jensen należy do działu nadzoru i specjalne upoważnienia

Komissarz Komissarz

Pan Jesen, kurwa chuj pierdolę

Jensen zwinął kartkę i wsunął ją do schowka na służbowy pistolet. Potem spojrzał na budynek. Czuł ssanie w brzuchu. Był głodny, ale wiedział, że jeśli coś zje, brzuch zaraz zacznie go boleć.

Przekręcił kluczyk w stacyjce i spojrzał na zegarek. Wpół do pierwszej, wtorek.

9

— Nie — powiedział laborant. — To nie jest ten sam papier. I nie ten sam format. Ale...

— Ale?

— Różnica w jakości nie jest zbyt duża. Struktura papieru jest podobna. Zresztą to dość nietypowy wzór.

— No więc?

— Nie można wykluczyć, że obie kartki zostały wyprodukowane w tej samej fabryce.

— No proszę.

— Teraz to sprawdzamy. To całkiem możliwe.

Mężczyzna po drugiej stronie słuchawki jakby się zawahał. Po chwili zapytał:

— Czy osoba, która napisała zdania na tej kartce, ma jakiś związek ze sprawą?

— Dlaczego pan pyta?

— Był u nas akurat pewien lekarz z zakładu dla psychicznie chorych i oglądał tę kartkę. Wywnioskował, że autor tekstu cierpi na tak zwaną ślepotę słowną, czyli aleksję. Był tego absolutnie pewien.

— A jak to się stało, że ów psychiatra dostał do ręki coś, co może stanowić dowód w sprawie?

— Ja mu dałem. Tak się składa, że go znam. Był u nas przypadkiem.

— Zgłoszę to jako przekroczenie uprawnień.

Jensen odłożył słuchawkę.

— Absolutnie pewien — powiedział do siebie. — Dość nietypowy wzór — dodał.

Wyszedł do toalety, przyniósł sobie kubek wody, wsypał do niej trzy łyżeczki lekarstwa, wymieszał ołówkiem i wypił.

Potem wyjął klucz uniwersalny. Był płaski i długi, a oś miała dość nietypowy kształt. Zważył go w dłoni i spojrzał na zegarek.

Dwadzieścia po trzeciej. Środa.

10

Z głównego holu Jensen skręcił w lewo, skąd windą okrężną zjechał w dół. Takie windy były popularne w Europie w pierwszej połowie XX wieku, gdyż mogły przewozić więcej pasażerów niż windy klasyczne. Winda okrężna składa się z szeregu otwartych, zwykle dwuosobowych kabin. Są one ze sobą połączone w łańcuch i poruszają się z prędkością do pół metra na sekundę po zamkniętej pętli w ruchu ciągłym (bez zatrzymywania się). Kiedy jedna strona jedzie do góry, druga przesuwa się do dołu. Winda, którą jechał Jensen, opadała powoli, skrzypiąc przeraźliwie. Jensen z uwagą wypatrywał wszystkiego, co mogłoby go zainteresować na każdym z pięter. Na początku pojawiła się bardzo duża hala. Wąskimi korytarzami, między ścianami złożonymi ze stosów świeżo wydrukowanych gazet, jeździły wózki elektryczne. Potem ujrzał mężczyzn ubranych w robocze dresy. Stali przy formach odlewniczych ustawionych na kratownicach, zajęci pracą. Maszyny rotacyjne wydawały ogłuszający dźwięk. Piętro niżej znajdowało się pomieszczenie z prysznicami, toalety i przebieralnie z ławkami i długimi rzędami zielonych stalowych szafek na ubrania. Na ławkach siedzieli ludzie, którzy mieli przerwę albo właśnie skończyli swoją zmianę. Większość z nich przeglądała apatycznie kolorowe czasopisma, które właśnie zeszły z pras drukarskich. W końcu winda się zatrzymała, a kiedy Jensen z niej wyszedł, domyślił się, że znajduje się w magazynie papieru. Na dole panowała prawie zupełna cisza. Prawie — bo suma dźwięków, jakie wydobywały się z poszczególnych pomieszczeń na górze, przenikała do magazynu w postaci potężnego, pulsującego szumu. Przez chwilę Jensen poruszał się jak po omacku, bo w środku panował półmrok. Chodził między rzędami bel papieru i ułożonych pod kątem prostym ryz. Jedynym człowiekiem, którego tam zauważył, był blady mężczyzna w białym fartuchu. Spojrzał na Jensena przerażonym wzrokiem i skruszył w dłoni palący się papieros.

Jensen opuścił magazyn, wrócił do windy i pojechał na górę. Kiedy znalazł się na parterze, do windy wszedł mężczyzna w średnim wieku ubrany w szary garnitur. Mężczyzna wszedł do tej samej kabiny, którą jechał Jensen, i towarzyszył mu aż do dziesiątego piętra, gdzie przesiadł się do innej kabiny. Po drodze ani razu się nie odezwał i nawet nie spojrzał na współpasażera. Kiedy Jensen się przesiadał, zauważył, że nieznajomy mężczyzna jedzie w kabinie pod nim.

Na dwudziestym piętrze Jensen przesiadł się do trzeciej windy i cztery minuty później był już na samej górze.

Znajdował się teraz w wąskim, pozbawionym okien, betonowym korytarzu. Podłoga nie była wyłożona ani dywanem, ani wykładziną. Korytarz miał kształt czworokąta, który ciągnął się wokół jądra tworzącego system wind i schodów. Wzdłuż jego zewnętrznych boków widać było pomalowane na biało drzwi. Na lewo od każdych drzwi umieszczono niewielką tabliczkę z dwoma, trzema albo czterema nazwiskami. Korytarz był skąpany w zimnym niebieskim świetle bijącym od lamp na suficie.

Z metalowych tabliczek wynikało, że Jensen znalazł się w redakcji komiksów. Zszedł schodami pięć pięter niżej, w dalszym ciągu jednak znajdował się w tym samym dziale. Na korytarzach widział niewiele osób, ale zza drzwi dobiegały go głosy i stukanie maszyn do pisania. Na każdym piętrze wisiała tablica ogłoszeń, głównie z informacjami od kierownictwa firmy dla pracowników. Jensen zauważył też urządzenia do stemplowania kart pracy, judasze dla nocnych strażników, a na sufitach spryskiwacze wchodzące w skład systemu przeciwpożarowego.

Na dwudziestym czwartym piętrze swoje siedziby miały cztery różne redakcje. Jensen rozpoznał nazwy czasopism i przypomniał sobie, że pod względem graficznym wszystkie były do siebie podobne. Poza tym zawierały głównie teksty opatrzone kolorowymi zdjęciami.

Jensen schodził powoli na niższe piętra. Na każdym poziomie mijał cztery korytarze, dwa dłuższe i dwa krótsze, tworzące kąt prosty. Także tutaj drzwi były pomalowane na biało, a od ścian bił chłód. Z wyjątkiem nazwisk na tabliczkach siedem najwyżej położonych pięter niczym się od siebie nie różniło. Wszystko było zadbane i czyste, wysprzątane wzorowo. Zza drzwi dochodziły ludzkie głosy, dzwonienie telefonów, stukanie maszyn do pisania.

Jensen zatrzymał się przy jednej z tablic ogłoszeń i zaczął czytać.

Nie wyrażaj się lekceważąco o Wydawnictwie ani o jego czasopismach!

Zabrania się umieszczania zdjęć, przedmiotów lub czegokolwiek innego na zewnętrznej stronie drzwi!

Zachowuj się zawsze jak ambasador swojej firmy. Także w wolnym czasie! Pamiętaj, że Wydawnictwo postępuje tak, jak przystoi: w sposób odpowiedzialny, z szacunkiem dla innych!

Wznieś się ponad nieuzasadnioną krytykę. *Ucieczka od rzeczywistości* i *zakłamanie* to tylko synonimy marzycielstwa i fantazji!

Nigdy nie zapominaj, że Wydawnictwo i swoją gazetę reprezentujesz także w wolnym czasie!

Ostatnie artykuły nie zawsze są najlepszymi! We współczesnym dziennikarstwie *prawda* to towar, z którym należy się obchodzić bardzo ostrożnie. Nie można być pewnym, czy każdy zniesie prawdę tak samo jak Ty!

Twoje zadanie polega na dostarczeniu rozrywki naszym czytelnikom i na zachęceniu ich do marzeń. Twoje zadanie nie polega na szokowaniu, podgrzewaniu atmosfery czy sianiu niepokoju. Nie polega też na *rozbudzaniu* ani wychowywaniu!

Jensen zauważył też wiele innych ogłoszeń o podobnej treści i formie. Większość z nich podpisał któryś z członków zarządu wydawnictwa lub administrator budynku. Niektóre ogłoszenia podpisał sam redaktor naczelny. Jensen przeczytał wszystkie. Potem kontynuował swój marsz w dół.

Na niższych kondygnacjach miały siedzibę redakcje pism o bardziej eleganckiej szacie graficznej. Wyposażenie na tych piętrach różniło się nieco od wyposażenia na piętrach górnych. Na korytarzach leżała jasna wykładzina, przy ścianach stały krzesła z metalowych rurek i chromowane popielniczki. Im bliżej osiemnastego piętra, tym wszystko wyglądało bardziej elegancko. Potem znowu było gorzej. Pomieszczenia dyrekcji wydawnictwa zajmowały cztery piętra, niżej mieściły się biura administracji, działu reklamy, dystrybucji i wielu innych działów.

Od pomalowanych na biało korytarzy biło chłodem. I tylko stukanie maszyn do pisania było intensywniejsze. Światło świeciło chłodnym, białym i jaskrawym blaskiem. Jensen oglądał piętro po piętrze. Kiedy zszedł na dół do dużego holu, była już prawie piąta. Przez cały czas poruszał się schodami i dlatego w kolanach i stawach odczuwał ból.

Dwie minuty później na schodach pojawił się mężczyzna w szarym garniturze. Jensen nie widział go od chwili, gdy godzinę wcześniej rozstali się przy windzie na dziewiątym piętrze. Mężczyzna wszedł do pomieszczenia dla strażników przy głównym wejściu. Jensen zauważył, że coś do nich mówi. Komisarz otarł pot z czoła i obrzucił główny hol obojętnym wzrokiem.

Zegar wiszący w holu wybił piątą i dokładnie w tej samej chwili otworzyły się drzwi windy wypełnionej ludźmi.

Przez następne pół godziny Jensena mijali kolejni pracownicy. Dopiero później strumień ludzi się zmniejszył. Jensen stał z rękami założonymi na plecach, przestępował z nogi na nogę i przyglądał się ludziom wychodzącym po pracy do domu. Za drzwiami wejściowymi rozpraszali się i każdy szedł w stronę swojego samochodu, pochylony, jakby z lękiem.

Kwadrans przed szóstą główny hol był już pusty. Windy stały nieruchomo. Mężczyźni w białych mundurach zamknęli drzwi wejściowe na klucz i rozeszli się w róż-

75

nych kierunkach. Za szklaną ścianą wartowni pozostał tylko mężczyzna w szarym garniturze. Na dworze było już prawie całkiem ciemno.

Jensen wszedł do jednej z wind i nacisnął najwyżej umieszczony guzik. Winda zatrzymała się gwałtownie na osiemnastym piętrze, drzwi się otworzyły i znowu zamknęły. Potem winda ruszyła w dół.

Korytarze w dziale komiksów wciąż były oświetlone, ale zza drzwi nie dochodził już żaden dźwięk. Jensen stał w milczeniu i nasłuchiwał. Po około trzydziestu sekundach usłyszał, że gdzieś niedaleko, prawdopodobnie na niższym piętrze, zatrzymała się winda. Czekał jeszcze chwilę, ale nie usłyszał żadnych kroków. Nie słyszał też żadnych innych dźwięków, a mimo to cisza nie była całkowita. Dopiero gdy odchylił się w bok i przyłożył ucho do betonowej ściany, usłyszał pulsujący szum wydawany przez maszyny drukarskie stojące w odległej od tego miejsca hali maszyn. Im dłużej Jensen wsłuchiwał się w ten dźwięk, tym bardziej stawał się on słyszalny, męczący i dotkliwy, jak nieokreślone wspomnienie bólu.

Komisarz wyprostował się i ruszył korytarzem. Przez cały czas pamiętał o odgłosach maszyn. Tam gdzie schody się kończyły, znajdowało się dwoje białych drzwi. Jedne były trochę wyższe i szersze. Drzwi nie miały klamek. Jensen wyjął klucz i wsunął go do dziurki w mniejszych drzwiach. Klucz nie pasował do niej. Za to drugie drzwi otworzył natychmiast. Ujrzał za nimi wąskie, strome, betonowe schody oświetlone słabym światłem niewielkich białych kloszy.

Ruszył schodami w górę, otworzył następne drzwi i wyszedł na dach.

Na dworze panowała całkowita ciemność. Wiał chłodny i przenikliwy wiatr. Wokół płaskiego dachu biegła betonowa bariera o wysokości około metra. Z dachu rozpościerał się widok na miasto rozświetlone milionami białych światełek. Na środku dachu wznosiło się kilkanaście niewysokich kominów. Z dwóch wydobywał się dym. Mimo wiejącego wiatru Jensen czuł jego ostry, duszący zapach.

Otworzył górne drzwi prowadzące na schody i wydawało mu się, że w tej samej chwili ktoś inny zamknął dolne. Kiedy jednak zszedł schodami, trzydzieste piętro wydało mu się puste, ciche i opuszczone. Jeszcze raz wsunął klucz do zamka w mniejszych drzwiach, ale i tym razem ich nie otworzył. Prawdopodobnie prowadziły do jakiegoś pomieszczenia z urządzeniami technicznymi, na przykład do maszynowni wind albo do węzła elektrycznego.

Jensen ponownie obszedł korytarze. Swoim zwyczajem zrobił to po cichu i ostrożnie. Przy zewnętrznym, krótszym boku całego ciągu zatrzymał się, zaczął nasłuchiwać i po raz kolejny wydało mu się, że w pobliżu słyszy kroki. Jednakże dźwięk natychmiast ucichł. Być może było to echo.

Komisarz wyjął klucz, otworzył jakieś drzwi i wszedł do pokoju redakcyjnego. Wydawał się o wiele większy niż cele aresztu w podziemiach budynku komisariatu. Betonowe ściany były zimne i białe jak sufit. I tym różniły się od pomalowanej na jasnoszary kolor podłogi. Umeblowanie pokoju składało się z trzech białych biurek, które prawie całkowicie zajmowały powierzchnię podłogi. Przy oknie wisiał wewnętrzny telefon. Na biurkach leżały równo poukładane papiery, rysunki, linijki i mazaki.

Jensen zatrzymał się przy jednym z biurek i zaczął oglądać kolorowy rysunek podzielony na cztery kratki, prawdopodobnie do któregoś z komiksów. Obok kartki z rysunkiem leżała druga kartka zapisana tekstem, z nagłówkiem: „Oryginalny scenariusz z działu autorskiego".

Rysunek w pierwszej kratce przedstawiał scenę z restauracji. Blondynka z ogromnym biustem ubrana w błyszczącą sukienkę z głębokim dekoltem siedzi przy stoliku; naprzeciwko niej zajmuje miejsce mężczyzna z niebieską maską na oczach. Jest ubrany w trykoty z szerokim skórzanym paskiem. Na piersiach ma trupią czaszkę. W tle siedzi damska orkiestra, mężczyźni w smokingach i kobiety w długich sukniach. Na stoliku stoi butelka szampana i dwa kieliszki. Następny rysunek przedstawia już tylko mężczyznę w dziwnym ubraniu; jego głowę otacza aureola, prawą dłoń trzyma wsuniętą w coś, co przypomina kuchenkę spirytusową. Kolejny rysunek znowu ukazuje restaurację; tym razem mężczyzna w trykotach unosi się nad stołem, podczas gdy blondynka spogląda na niego wzrokiem pozbawionym wyrazu. Na ostatnim rysunku mężczyzna w trykotach wciąż unosi się w powietrzu, a w tle widać gwiazdy. Z pierścienia na jego prawym palcu wskazującym wyrasta gigantyczna dłoń na długim trzonku. Dłoń ściska pomarańczę.

Jensen oglądał pola zamalowane białą farbą kryjącą. Miały owalny kształt i umieszczono je między błyszczącymi zębami poszczególnych postaci. W pola te wstawiono krótkie, łatwe do przeczytania teksty napisane tuszem i drukowanymi literami. Jensen domyślił się, że projekt nie jest jeszcze skończony.

TEGO WIECZORU NIEBIESKA PANTERA I BOGATA
BEATRICE SPOTYKAJĄ SIĘ W NAJBARDZIEJ
ELEGANCKIEJ RESTAURACJI NOWEGO JORKU...

— MYŚLĘ, ŻE TO NIEZWYKŁE... MYŚLĘ, ŻE CIĘ...
KOCHAM.

— CO? WYDAWAŁO MI SIĘ, ŻE KSIĘŻYC SIĘ RUSZA!

NIEBIESKA PANTERA WYCHODZI UKRADKIEM I ŁADUJE
SWÓJ CZARODZIEJSKI PIERŚCIEŃ...

— WYBACZ, ALE NA CHWILĘ MUSIAŁEM CIĘ ZOSTAWIĆ.
Z KSIĘŻYCEM JEST COŚ NIE W PORZĄDKU!

NIEBIESKA PANTERA PO RAZ KOLEJNY ZOSTAWIA
UKOCHANĄ KOBIETĘ, ABY URATOWAĆ WSZECHŚWIAT
PRZED NIEUCHRONNĄ ZAGŁADĄ...

Jensen rozpoznał postacie, które widział już w przeglądanych wcześniej czasopismach.

Do ściany nad biurkiem ktoś przypiął kserokopię ogłoszenia. Jensen zaczął czytać:

W ciągu ostatniego kwartału nakład naszych czasopism wzrósł o 26%. Czasopismo zaspokaja życiowe potrzeby swoich czytelników. Teraz stanęło przed ważnym zadaniem. Przyczółek został zdobyty. Musimy walczyć o końcowe zwycięstwo. Kierownictwo redakcji.

Jensen po raz ostatni spojrzał na rysunki, zgasił światło i zamknął za sobą drzwi na klucz.

Zjechał windą osiem pięter niżej i znalazł się w pomieszczeniach, gdzie mieściła się redakcja jednej z największych gazet. Teraz już wyraźnie słyszał dobiegające go w równych odstępach czasu kroki podążającej za nim osoby. Wszystko stało się jasne i Jensen przestał zaprzątać sobie głowę tą sprawą.

Otworzył dwoje drzwi i wszedł do takich samych betonowych cel, jakie widział wcześniej na trzydziestym piętrze. Na biurkach leżały zdjęcia przedstawiające członków rodziny królewskiej, idolów, dzieci, psy i koty, a także artykuły, które ktoś tłumaczył albo znajdowały się w fazie obróbki. Część z nich poprawiono czerwonym ołówkiem.

Jensen przeczytał kilka tekstów i zauważył, że przekreślone fragmenty zawierały dość umiarkowane, krytyczne komentarze i różnego rodzaju opinie. Artykuły opowiadały o zagranicznych popularnych artystach.

Gabinet szefa był większy od pozostałych pokojów. Podłogę pokrywał jasnobeżowy dywan. Meble zrobione ze stalowych rurek były obite białymi tkaninami ze sztucznego materiału. Na biurku przykrytym jasnoszarą podkładką stały głośniki, dwa białe aparaty telefoniczne i fotografia w stalowej ramce. Prawdopodobnie przedstawiała redaktora naczelnego — mężczyznę w średnim wieku o zatroskanym wyrazie twarzy, psim spojrzeniu i wypielęgnowanych wąsach.

Komisarz Jensen usiadł w fotelu przy biurku. Kiedy chrząknął, w pomieszczeniu rozeszło się echo. Pokój sprawiał dość przygnębiające wrażenie: zimny, opuszczony. I rzeczywiście taki był — żadnych książek, żadnych gazet, za to na ścianie naprzeciwko biurka wisiała duża kolorowa plansza w ramkach. Zdjęcie przedstawiało budynek — siedzibę koncernu. Zrobiono je wieczorem, gdy fasada budynku była oświetlona.

Jensen wyciągnął kilka szuflad, ale nic nie znalazł w nich niczego ciekawego. W jednej leżała koperta zaklejona taśmą z napisem „Prywatna". Zawierała kilka kolorowych zdjęć i kartkę z wydrukowanym na niej tekstem: *Ekskluzywna oferta na zniżkowe ceny w międzynarodowej agencji fotograficznej wydawnictwa. Nie dotyczy osób zajmujących wysokie stanowiska kierownicze.* Zdjęcia przedstawiały nagie kobiety z dużym biustem i wygolonym łonem.

Komisarz dokładnie zakleił kopertę i odłożył ją na miejsce. Nie istnieje przecież prawo, które zabrania przechowywania takich zdjęć. Kilka lat temu, po okresie gwałtownego zainteresowania czasopismami pornograficznymi, popyt na tego rodzaju wydawnictwa z nieznanych powodów prawie zupełnie spadł. Niektórzy twierdzili, że efektem braku popytu jest trwający niż demograficzny.

Jensen uniósł podkładkę leżącą na biurku i znalazł pod nią wewnętrzne ogłoszenie podpisane przez dyrektora wydawnictwa. Brzmiało następująco:

Artykuł o ślubie księżniczki z szefem krajowej organizacji związkowej, który odbył się na zamku królewskim, zasługuje na słowa krytyki. Autor artykułu prawie nie zauważył obecności wielu znaczących i bliskich wydawnictwu postaci. Informacja o tym, że brat pana młodego był w młodości zagorzałym republikaninem, jest po prostu obrażająca, podobnie jak humorystyczna uwaga, *że szef organizacji związkowej zostanie kiedyś królem. Muszę też zareagować na kiepski styl artykułu. List od czytelnika opublikowany w ósmym numerze nie powinien się tam pojawić. Twierdzenie, jakoby w naszym kraju spadła liczba popełnianych samobójstw, może doprowadzić do niepokojących nieporozumień. Z informacji tej można bowiem wyciągnąć wniosek, że w naszym państwie dobrobytu liczba sa-*

mobójstw popełnianych wcześniej była zbyt duża. Czy
muszę przypominać, że mimo starań podejmowanych
przez kierownictwo nakład nie rośnie?

Z notatki sporządzonej na marginesie wynikało, że kopie listu zostały skierowane do wszystkich osób pełniących w wydawnictwie najwyższe funkcje.

Komisarz Jensen wyjął klucz, otworzył kolejne drzwi i wszedł do środka. Światło w pokoju było zgaszone, ale w słabym blasku świateł oświetlających fasadę budynku zauważył skulonego mężczyznę siedzącego przy biurku. Jensen zamknął za sobą drzwi i przekręcił kontakt. Pokój wyglądał tak jak inne: betonowe ściany i chromowane ramy okienne. W środku unosił się duszny, ciężki zapach wódki, dymu tytoniowego i wymiocin.

Mężczyzna siedzący na krześle mógł mieć pięćdziesiąt kilka lat. Był barczysty, lekko otyły, ubrany w marynarkę, białą koszulę, krawat, buty i skarpetki. Jego spodnie leżały na biurku. Wyglądało to tak, jakby mężczyzna chciał je wyczyścić. Siedział bez majtek, bo wisiały na grzejniku elektrycznym. Głowę miał opuszczoną na piersi, twarz zaczerwienioną. Na biurku stał plastikowy kubek i prawie pusta butelka po wódce. Między nogami mężczyzny stał metalowy kosz na śmieci.

Mężczyzna zmrużył oczy oślepiony nagłym blaskiem światła i spojrzał na Jensena niebieskimi, przekrwionymi oczami.

— Dziennikarstwo jest martwe — powiedział. — Ja też jestem martwy. Wszystko jest martwe.

Zaczął szukać ręką butelki na biurku.

— Tak tu sobie siedzę... W tej pieprzonej jadłodajni. Pomiatają mną i rządzą tępi analfabeci. Tak! Robią to od lat.

W końcu udało mu się chwycić butelkę. Przyłożył ją do ust i wypił resztę wódki.

— To największa na świecie jadłodajnia — rzekł. — Trzysta pięćdziesiąt tysięcy porcji na tydzień. Zupa z kłamstw, zapewniam, że bez smaku. Od tylu lat.

Mężczyzna drżał na całym ciele. Żeby przytrzymać kubek przy wargach, musiał sobie pomóc obiema rękami.

— Ale teraz to już koniec — rzucił.

Podniósł z biurka list i pomachał nim.

— Niech pan to tylko przeczyta. Zwłaszcza końcówkę.

Jensen wziął podaną mu kartkę. Z treści listu wynikało, że napisał go redaktor naczelny.

Twój reportaż na temat ślubu na zamku jest nieroz-
sądny, źle napisany i pełen nieścisłości. Opublikowanie
w ósmym numerze listu od czytelnika w sprawie sa-
mobójstw to skandaliczna pomyłka. Jestem zmuszony
powiadomić o tym najwyższe kierownictwo.

— Najciekawsze jest to, że zanim numer poszedł do druku, on sam wszystko czytał. List od czytelnika też.

Ale nie będę mu tego wypominał. Ten dupek walczy o własny tyłek.

Tym razem mężczyzna spojrzał na Jensena jakby pobudzony ciekawością.

— Kim pan jest? Nowym dyrektorem? Spodoba ci się tu, chłopcze. Dyrekcja wydawnictwa składa się z przebranych wieśniaków z wiejskich chałup. Jest też kilka starych zdzir, których innym udało się pozbyć.

Jensen wyjął niebieską kartkę. Mężczyzna nawet na nią nie spojrzał.

— Jestem dziennikarzem od trzydziestu lat. Obserwowałem na własne oczy, jak upada cała sfera duchowa. Czułem śmiertelny ucisk na mojej intelektualnej szyi. Było to najpowolniejsze duszenie na świecie. Przedtem jeszcze czegoś mi się chciało. To był mój błąd. Wciąż coś umiem. Ale niewiele. To też błąd. Umiem tylko pisać. To błąd. Dlatego mnie nienawidzą. Na szczęście na razie muszą zatrudniać takich jak ja. Potrwa to dopóty, dopóki ktoś nie wynajdzie maszyny, która sama będzie pisać takie bzdety. Nienawidzą mnie, bo nie jestem nieomylną maszyną wyposażoną w dźwignię i przyciski, która będzie pisać ich pierdolone kłamstwa w tempie sześciu stron na godzinę, bez pomyłek, przekreśleń i własnych uwag na marginesie. A teraz jestem pijany. Hip, hip, hurra. — Oczy mężczyzny były szeroko otwarte, źrenice rozszerzone. — A mój dzyndzel zwisa żałośnie jak gotowany makaron — ciągnął. Mówiąc te słowa, wykonał gest w stronę swojego męskiego narządu. Potem mruknął: — Jak tylko wyschną mi spodnie, spróbuję dostać się do domu.

Przez chwilę mężczyzna siedział w milczeniu. Oddychał nierówno i sapał. W końcu wyciągnął prawą rękę i powiedział:

— Wielce szanowni zebrani! Gra dobiegła końca, a główny bohater zostanie powieszony, jako że ludzkość zawsze jest siebie warta i nigdy nikomu niczego nie daje w formie prezentu. Czy pan wie, kto to napisał?

— Nie — odparł Jensen.

Zgasił światło i wyszedł z pokoju.

Na dziesiątym piętrze przesiadł się do windy okrężnej i zjechał nią aż do magazynu papieru.

W budynku włączyło się nocne oświetlenie złożone z pojedynczych niebieskich kloszów. Świeciły słabym, niepewnym światłem.

Stojąc w zupełnej ciszy, Jensen niemalże czuł napór potężnego budynku, który się nad nim wznosił. Maszyny rotacyjne zakończyły już pracę. W miarę jak w budynku zapadała coraz głębsza cisza, świadomość jego masywności ciążyła Jensenowi coraz bardziej. Komisarz przestał też słyszeć kroki chodzącego za nim człowieka.

Wsiadł do windy i wjechał na parter. Hol był pusty, więc musiał poczekać. Po trzech minutach z bocznych drzwi wyszedł mężczyzna w szarym garniturze i skierował się w stronę dyżurki.

— W pokoju numer dwa tysiące sto czterdzieści trzy siedzi pijany mężczyzna — powiedział Jensen.

— Już się nim zajmujemy — odparł mężczyzna w szarym garniturze.

Jensen otworzył drzwi własnym kluczem i wyszedł na zimne nocne powietrze.

11

Jensen wrócił do komisariatu tuż przed dziesiątą. Od razu skierował się na poziom z celami aresztu. Dyżurny przepuszczał właśnie przez drzwi dwie młode kobiety. Jensen odczekał, aż zostawią na ladzie dowody osobiste, buty i kurtki. Jedna z kobiet zaklęła i plunęła dyżurnemu w twarz. Policjant, który ją wcześniej zatrzymał, ziewnął i wykręcił jej rękę, a jednocześnie spojrzał na zegarek. Druga z zatrzymanych kobiet stała spokojnie z opuszczoną głową i zwisającymi luźno rękami. Przez cały czas płakała i mruczała, pociągając nosem. Jak zwykle w takich sytuacjach powtarzała ciągle te same słowa: „Nie, nie" oraz „nie wiem".

Obie kobiety zostały wyprowadzone przez dwie policjantki w gumowych butach i jasnozielonych plastikowych płaszczach. Wkrótce potem Jensen usłyszał płacz i jęki. Oznaczało to, że kobiety zostały poddane kontroli osobistej. Personel kobiecy był bardziej skuteczny i wytrzymały niż męski.

Jensen podszedł do kontuaru i zaczął sprawdzać w dzienniku zgłoszeń, co wpisano w ciągu ostatnich godzin. Zauważył, że w siedzibie wydawnictwa nikt nie zareagował. Na policję nie trafiło stamtąd żadne zawiadomienie.

W drodze do domu Jensen nic nie jadł. Nie odczuwał głodu ssania w żołądku. Chociaż w samochodzie było ciepło, drżał z zimna i z trudem utrzymywał dłonie na kierownicy w bezruchu.

W domu natychmiast się rozebrał i położył do łóżka. Po godzinie leżenia w ciemnościach wstał i przyniósł butelkę. Drżenie po chwili ustało, ale gdy zasypiał, wciąż było mu zimno.

Minął trzeci dzień. Zostały mu już tylko cztery.

12

Ranek był chłodny i rześki. Trawniki między blokami pokrywała gruba warstwa świeżego śniegu. Na autostradzie zalegały płaty śnieżnej brei.

Jensen obudził się wcześnie i chociaż droga była śliska, a korki długie, do biura dotarł na czas. Od razu poszedł do swojego pokoju. Zaschło mu w gardle i mimo że wyszorował zęby i przepłukał usta, utrzymywał się w nich nieprzyjemny smak. Zadzwonił na stołówkę i poprosił, aby przyniesiono mu butelkę wody mineralnej, po czym zaczął przeglądać papiery leżące na biurku. Brakowało mu raportu z działu technicznego. Pozostałe nie zawierały niczego ciekawego. Policjant wysłany na pocztę utknął tam na dobre. Jensen dokładnie przeczytał jego krótki raport i wykręcił numer głównego urzędu pocztowego. Policjant dopiero po dłuższej chwili podszedł do telefonu.

— Mówi Jensen.

— Słucham, panie komisarzu.

— Co teraz robisz?

— Przesłuchuję osoby zatrudnione przy sortowaniu poczty.

— Czy możesz wyrażać się jaśniej?

— Dwa dni roboty. Może nawet trzy.

— Czy twoim zdaniem do czegoś nas to doprowadzi?

— Nie sądzę. Okazuje się, że poczta dostarcza wiele listów, na których adres napisany jest za pomocą liter wyciętych z gazet. Sam widziałem ich tu już ze dwieście. Większość z nich nie jest nawet anonimowa. Ludzie robią po prostu takie rzeczy.

— Dlaczego?

— Myślę, że to taki żart. Jedyną osobą pamiętającą tamten list jest kurier, który go dostarczył.

— Czy masz kopię tego listu?

— Nie, panie komisarzu. Ale mam kopertę z adresem.

— Wiem. Unikaj wdawania się w niepotrzebne dyskusje.

— Tak jest.

— Na razie zrób sobie przerwę. Pojedziesz do laboratorium kryminalistycznego, niech zrobią fotokopię tekstu. Dowiedz się też, z jakich gazet wycięto litery. Jasne?

— Tak jest.

Jensen odłożył słuchawkę. Przez okno widział, jak grupa pracowników wyposażonych w szufle i plastikowe wiadra sprząta dziedziniec. Oparł ręce na brzuchu i czekał.

Po trzech godzinach i dwudziestu minutach zadzwonił telefon.

91

— Udało nam się zidentyfikować papier — poinformował technik z laboratorium.

— No i?

— To tak zwany papier dokumentowy z oznakowaniem jakości. Symbol CB-trzy. Produkuje go jedna z firm wchodzących w skład koncernu.

Przez chwilę panowała cisza. Potem laborant powiedział:

— Nie ma w tym właściwie nic szczególnego. Koncern kontroluje prawie cały przemysł papierniczy.

— Do rzeczy — przerwał mu Jensen.

— Fabryka, o której mówiłem, leży czterdzieści kilometrów na północ od miasta. Jest tam teraz jeden z naszych ludzi. Rozmawiałem z nim pięć minut temu.

— Co mówił?

— Ten rodzaj papieru jest produkowany mniej więcej od roku. Papier jest przeznaczony głównie na eksport, ale niewielkie partie trafiły też do tak zwanej drukarni cywilnej, która też należy do koncernu. W dwóch różnych rozmiarach. O ile się orientuję, w tym konkretnym wypadku w grę wchodzi papier większego formatu. Więcej nie udało nam się ustalić. Reszta należy do was. Wysłałem kuriera ze wszystkimi adresami i danymi osobowymi. Dostanie pan to za dziesięć minut.

Jensen nie odpowiedział.

— To wszystko — dodał laborant.

Jensen czuł, że mężczyzna zwleka z zakończeniem rozmowy.

Po chwili milczenia laborant powiedział:

— Panie komisarzu...

— Słucham.

— Ta wczorajsza sprawa... chodzi mi o to, że pan chciał zgłosić naruszenie przeze mnie obowiązków służbowych... Czy zamierza pan to zrobić?

— Naturalnie, nie zamierzam z tego rezygnować — potwierdził Jensen.

Dziesięć minut później zjawił się posłaniec z kopertą od technika.

Kiedy Jensen zapoznał się z jej zawartością, wstał i spojrzał na wielką mapę drogową wiszącą na ścianie. Potem ubrał się i zszedł do samochodu.

13

Pomieszczenie było przedzielone szklanymi ścianami. Czekając na przyjście majstra, Jensen przyglądał się pracy personelu po drugiej stronie szyby. Pracownicy w białych i szarych fartuchach ochronnych uwijali się przy długich stołach. Z oddali dobiegał szum pracujących maszyn introligatorskich i drukarskich.

Na stalowych hakach wzdłuż jednej ze ścian wisiały wilgotne wydruki dla korekty. Teksty drukowane grubą czcionką wychwalały gazety wydawane przez koncern. W jednym informowano, że w tym tygodniu jedna z gazet ukaże się z dodatkiem zawierającym zdjęcie pewnego szesnastolatka występującego w telewizji, w naturalnej wielkości. Dodatek będzie wykonany „w różnobarwnej skali i jest niezwykłej urody". Zachęcano czytelników do kupienia gazety, zanim nakład zostanie wyczerpany.

— Zajmujemy się niektórymi reklamami naszego wydawnictwa — powiedział po powrocie majster. — Dotyczy to ogłoszeń dla dzienników. Eleganckie, choć drogie rzeczy. Każde z takich ogłoszeń kosztuje tyle, ile pan albo ja zarabiamy przez pół roku.

Jensen nie skomentował jego słów.

— Ale to akurat nie ma znaczenia dla kogoś, kto jest właścicielem wszystkiego: tygodników i prasy codziennej, drukarni i papieru, na którym wszystko jest drukowane — kontynuował majster. — W każdym razie są to naprawdę eleganckie rzeczy. — Odwrócił się i włożył do ust pastylkę. — Ma pan rację — dodał. — Na takim papierze drukowaliśmy dwie rzeczy. Jakiś rok temu. Niezbyt wysokie nakłady, po kilka tysięcy z każdego zamówienia. Był to prywatny papier listowy dla szefa i coś w rodzaju dyplomu.

— Dla wydawnictwa?

— Oczywiście. Pewnie gdzieś zachowały się próbki. Mogę je panu pokazać.

Mężczyzna zaczął szukać w segregatorach.

— Znalazłem. Proszę bardzo.

Papier listowy wydrukowany dla prezesa był niewielkiego formatu. Eleganckie wykończenie z dyskretnym monogramem w prawym górnym rogu, co miało świadczyć o skromności i dobrym guście. Jensen od razu zauważył, że papier listowy jest znacznie mniejszy niż anonimowy list. Jednakże na wszelki wypadek zmierzył pokazany mu egzemplarz. Potem wyjął raport przesłany mu z laboratorium i porównał wyniki. Nie zgadzały się ze sobą.

Drugi druk, o którym wspominał majster, był prawie kwadratowym folderem. Dwie pierwsze strony były puste, na trzeciej widniał tekst napisany złotą gotycką czcionką. Brzmiał następująco:

NINIEJSZYM PRAGNIEMY WYRAZIĆ
NASZE GŁĘBOKIE PODZIĘKOWANIE
ZA POŻYTECZNĄ WSPÓŁPRACĘ W UBIEGŁYM
ROKU W KRZEWIENIU KULTURY
I WZAJEMNEGO ZROZUMIENIA

— Naprawdę elegancka rzecz, nieprawdaż?

— Dla kogo jest to przeznaczone?

— Nie mam pojęcia. To coś w rodzaju dyplomu. Ktoś musiał się pod tym jeszcze podpisać. Potem komuś to pewnie dawali. Chyba o to chodziło.

Jensen wziął linijkę i zmierzył nią pierwszą stronę. Wyjął z kieszeni kartkę i porównał uzyskane dane z tymi, które miał zapisane. Dane zgadzały się ze sobą.

— Czy ma pan ten papier jeszcze na składzie? — spytał majstra.

— Nie, to było specjalne zamówienie. Zresztą bardzo drogie. To, co nam zostało, poszło dawno temu na makulaturę.

— Zabiorę ze sobą ten egzemplarz.

— Ale to nasz jedyny egzemplarz archiwalny — zaprotestował majster.

— Ach tak.

Majster miał około sześćdziesięciu lat, twarz pooraną zmarszczkami. Czuć było od niego wódkę, farbę drukarską i tabletki do ssania. Po rozmowie nawet się z Jensenem nie pożegnał.

Jensen zwinął dyplom w rulon i wyszedł.

14

Gabinet dyrektora do spraw personalnych znajdował się na dziewiętnastym piętrze. Mężczyzna siedzący za biurkiem był krępy i otyły. Jego twarz przypominała pysk ropuchy, ale za to uśmiech nie był tak wyuczony jak uśmiech zastępcy dyrektora wydawnictwa. Wydawał się raczej krzywy i złośliwy.

— Śmiertelne wypadki? — powtórzył pytanie Jensena. — Tak, oczywiście, zdarzało się, że ktoś wyskoczył z okna.

— Wyskoczył z okna?

— Tak. Samobójstwo. Takie przypadki zdarzają się przecież... właściwie wszędzie.

Była to słuszna uwaga. W poprzednim roku spadające ciała samobójców zabiły dwóch przechodniów w centrum miasta. Kilku kolejnych przechodniów zostało rannych. Takie są właśnie ujemne strony wysokiej zabudowy wielkomiejskiej.

— A poza tym?

— W ciągu ostatnich kilku lat w naszym budynku zmarło kilka osób, za każdym razem była to śmierć naturalna spowodowana nieszczęśliwym wypadkiem. Poproszę sekretarkę, żeby wysłała panu pełną listę takich zdarzeń.

— Dziękuję.

Dyrektor naprawdę się starał. Uśmiechnął się trochę uprzejmiej i zapytał:

— Czy mogę panu jeszcze w czymś pomóc?

— Tak — odparł Jensen i rozwinął druczek dyplomu. — Co to takiego?

Dyrektor wyglądał na zdziwionego.

— To coś w rodzaju listu pożegnalnego dla tych, którzy kończą pracę w firmie. Wprawdzie jest to bardzo drogie zamówienie, ale chodzi nam o to, aby odchodzący pracownik zachował miłe wspomnienia. W takiej sytuacji żaden wydatek nie jest zbyt wysoki. Tak właśnie rozumuje kierownictwo naszego wydawnictwa, zarówno w tej, jak i w innych sprawach.

— Czy każda osoba, która kończy pracę, otrzymuje coś takiego?

Dyrektor pokręcił głową.

— Oczywiście, że nie. Byłoby to zbyt kosztowne. Tego rodzaju druk przeznaczony jest wyłącznie dla osób na kierowniczych stanowiskach albo dla pracowników, którzy cieszą się szczególnym zaufaniem. Przede wszystkim chodzi o osoby, które swoje obowiązki wykonywały z należytą starannością i godnie reprezentowały nasze wydawnictwo, będąc jego ambasadorami.

— Ile takich dyplomów zostało wręczonych?

— Niewiele. To całkiem nowa sprawa. Wręczamy je nie dłużej niż od pół roku.

— Gdzie te druki są przechowywane?

— U mojej sekretarki.

— Czy są łatwo dostępne?

Dyrektor wcisnął jeden z guzików na telefonie wewnętrznym. Do pokoju weszła młoda kobieta.

— Czy formularz PR-osiem jest łatwo dostępny dla osób postronnych?

Kobieta zrobiła przerażoną minę.

— Nie, absolutnie. Leżą w dużej stalowej kasie. Zamykam ją na klucz za każdym razem, gdy wychodzę z pokoju.

Dyrektor dał jej znać machnięciem ręki, że może wyjść, i powiedział:

— Dziewczynie można ufać, jest bardzo dokładna. W przeciwnym razie nie mogłaby tu pracować.

— Potrzebna mi będzie lista osób, które otrzymały taki dyplom.

— Oczywiście. Możemy to załatwić.

Przez długą chwilę siedzieli w milczeniu, czekając, aż lista będzie gotowa. W końcu Jensen spytał:

— Na czym właściwie polega pana praca?

— Na zatrudnianiu pracowników redakcji i działu administracji. Mam dbać o to, żeby wszystko funkcjonowało ku zadowoleniu pracowników i... — W tym miejscu dyrektor zrobił przerwę, a na jego ropuszej twarzy pojawił się szeroki uśmiech. Twardy, zimny i całkowicie szczery. — ...I na uwalnianiu naszego wydawnictwa od osób, które nadużywają zaufania firmy, jak również od tych, które zaniedbują swoje obowiązki.

Po kilku sekundach dodał:

— Tak, tak, dzieje się tak oczywiście w wyjątkowych przypadkach, ale i wtedy podchodzimy do tego w sposób humanitarny, jak zresztą do wszystkiego tutaj.

W pokoju znowu zapadła cisza. Jensen siedział nieruchomo i wsłuchiwał się w pulsujące dźwięki dochodzące z całego budynku.

W tym momencie weszła sekretarka z dwoma egzemplarzami list z nazwiskami wyróżnionych osób. Znajdowało się na nich dwanaście nazwisk. Dyrektor przeczytał je w milczeniu.

— Dwie z tych osób zmarły po przejściu na emeryturę — rzekł po chwili. — Jedna osoba przeprowadziła się za granicę. Wiem to na pewno.

Dyrektor wyjął z kieszeni wieczne pióro i przy trzech nazwiskach zrobił ptaszki. Potem oddał kartkę Jensenowi.

Komisarz spojrzał na nią przelotnie. Przy każdym nazwisku znajdował się rok urodzenia i kilka podanych w skrócie informacji, na przykład: „przeszedł na wcześniejszą emeryturę" albo „odszedł na własne żądanie". Jensen złożył kartkę i schował ją do kieszeni. Zanim wyszedł, dyrektor zadał mu jeszcze jedno pytanie:

— Czy mogę zapytać, co skłania pana do interesowania się takim szczegółem?

— To sprawa służbowa, o której nie wolno mi rozmawiać.

— Czyżby któryś z naszych listów pożegnalnych dostał się w niewłaściwe ręce?

— Nie sądzę.

W windzie, którą Jensen zjeżdżał na dół, tym razem jechało z nim dwóch mężczyzn. Byli jeszcze młodzi, palili papierosy i rozmawiali o pogodzie. Używali krótkich, żargonowych określeń, które brzmiały jak seria kodów. Osobie spoza ich kręgu trudno byłoby je zrozumieć.

Kiedy winda zatrzymała się na osiemnastym piętrze, wszedł do niej prezes. Skinął głową w zamyśleniu i stanął twarzą do ściany. Obaj mężczyźni zgasili papierosy i zdjęli czapki z głów.

— No proszę, już pada śnieg — powiedział jeden z nich przytłumionym tonem.

— Szkoda małych kwiatów — odparł prezes pięknym, głębokim głosem.

Wypowiedział te słowa, nie patrząc na mężczyznę, który wspomniał o śniegu. Stał nieruchomo z twarzą zwróconą w stronę aluminiowej ściany. Do parteru nikt się już nie odezwał.

W holu na dole Jensen skorzystał z telefonu i zadzwonił do laboratorium.

— I jak?

— Miał pan rację — rzekł technik. — Znaleźliśmy ślady złotej farby. W kleju pod literami. Dziwne, że to przeoczyliśmy.

— Tak pan uważa?

15

— Znajdź mi adres tej osoby. To pilne.

Szef wywiadowców przyjął postawę zasadniczą i wyszedł.

Jensen przyglądał się liście, która leżała przed nim na biurku. Wysunął jedną z szuflad, wyjął z niej linijkę i przeciągnął prostą linię, skreślając trzy nazwiska. Potem ponumerował pozostałe, od jednego do dziewięciu, spojrzał na zegarek i na samej górze kartki zanotował: „czwartek, godz. 16.25".

Wyjął czysty notes, otworzył go na pierwszej stronie i napisał: „Numer 1, były dyrektor do spraw dystrybucji, 48 lat, żonaty, na wcześniejszą emeryturę przeszedł z powodu choroby".

Dwie minuty później szef wywiadowców przyniósł adres, o który prosił Jensen. Komisarz zapisał go, zamknął notatnik i schował do wewnętrznej kieszeni marynarki. Wstał z krzesła.

— Zbierz dane o pozostałych osobach — powiedział. — Chcę je mieć na biurku, jak wrócę.

Jensen zszedł do samochodu. Przejechał przez centrum miasta, dzielnicę biurowców i domów towarowych, minął siedzibę związków zawodowych i ruszył wraz z prądem samochodów na zachód. Korki tworzyły się wzdłuż szerokiej, prostej autostrady, przecinały dzielnicę przemysłową i rozległe sypialnie z tysiącami podobnych do siebie szeregów bloków.

W blasku wieczornego słońca Jensen wyraźnie widział chmurę szarych spalin samochodowych. Miała około piętnastu metrów grubości i zalegała nad miastem jak trujący tuman mgły.

Dwie godziny wcześniej Jensen wypił dwie filiżanki herbaty i zjadł cztery sucharki. Dokuczał mu ciężki i tępy ból z prawej strony przepony, jakby w miękką tkankę wbijało się wiertło pracujące na niskich obrotach. Mimo bólu odczuwał głód.

Po mniej więcej dziesięciu kilometrach pojawiły się starsze, bardziej zaniedbane budynki. Wznosiły się jak kolumny pośród zapuszczonej zieleni. Z nierównych, betonowych płyt odpadły duże kawałki zwietrzałego tynku. Wiele szyb było potłuczonych. Kiedy przed dziesięciu laty władzom udało się zaspokoić popyt mieszkaniowy dzięki wybudowaniu dużej liczby bloków z prostymi, standardowymi mieszkaniami, wiele starszych dzielnic opustoszało. Na niektórych takich przedmieściach zaledwie jedna trzecia mieszkań była zamieszkana. Pozostałe stały puste i niszczały, podobnie jak całość takiej zabudowy. Mieszkania przestały być opłacalne, więc nikt się o nie nie troszczył, nikt ich nie remontował ani nie przeznaczał pieniędzy na ich utrzymanie. Poza tym budynki zostały źle zbudowane i ulegały szybkiej degradacji. Tutejsze sklepy padały, a ich właściciele po prostu je porzucali. Na dodatek władze uznały, że każdy obywatel powinien mieć własny samochód, i dlatego zawiesiły komunikację miejską, która wcześniej docierała do takich miejsc.

W plątaninie krzaków zalegały fragmenty samochodowych wraków i jednorazowych plastikowych opakowań, które nie trafiły do recyklingu. W Ministerstwie Pracy i Spraw Socjalnych wyliczono, że domy wkrótce całkowicie opustoszeją i po prostu się zawalą, a cały ten teren zostanie przekształcony w miejskie wysypisko. I to bez żadnych nakładów ze strony państwa.

Jensen zjechał z autostrady, przejechał przez most i wjechał na wydłużoną wyspę porośniętą drzewami liściastymi. Pełno tu było basenów, kortów tenisowych, ścieżek rowerowych i białych willi stojących nad brzegiem wody. Po paru minutach zwolnił, skręcił w lewo, minął kilka kutych bram, podjechał pod jeden z domów i zatrzymał się.

Willa była duża i musiała sporo kosztować. Wyglądała na luksusową. Obok wjazdu stały trzy samochody. Jeden z nich był duży, srebrnoszary. Jakaś zagraniczna marka, najnowszy model.

Jensen wszedł po schodach, a gdy mijał fotokomórkę, w willi rozległ się dźwięk dzwonka. Drzwi natychmiast się otworzyły i stanęła w nich młoda kobieta w czarnej sukience obszytej białą koronką. Poprosiła, aby Jensen poczekał, i znikła wewnątrz domu. Dom urządzony był w sposób nowoczesny i bezpretensjonalny. Miał w sobie coś z owej chłodnej elegancji, którą Jensen widział w pomieszczeniach zajmowanych przez dyrekcję wydawnictwa.

W przedpokoju ujrzał chłopaka w wieku około dziewiętnastu lat. Siedział z rozstawionymi nogami w jednym z foteli ze stalowych rurek i gapił się bez celu przed siebie.

Jensen zjawił się w tym domu, żeby spotkać się z jego właścicielem. Był nim opalony, niebieskooki mężczyzna o byczym karku, ze znakami postępującej otyłości i zarozumiałym wyrazem twarzy. Ubrany był w zwykłe spodnie, sandały i krótką, elegancką kurtkę.

— O co chodzi? — spytał mężczyzna opryskliwym tonem. — Uprzedzam, że mam bardzo mało czasu.

Jensen wszedł do przedpokoju i pokazał legitymację służbową.

— Komisarz Jensen. Szesnasty Komisariat Policji. Prowadzę dochodzenie, które dotyczy pańskiej dawnej pracy i firmy, w której był pan zatrudniony.

W jednej chwili postawa mężczyzny i wyraz twarzy

uległy zmianie. Niespokojnie spuścił wzrok na podłogę i jakby się skurczył. W jego oczach pojawił się strach.

— Na miłość boską — mruknął. — Tylko nie tutaj, nie w przed... Proszę wejść do środka... albo lepiej do biblioteki... tak, tam będzie lepiej.

Mężczyzna zrobił niepewny gest, jakby chciał zwrócić uwagę na coś innego, i dodał:

— To mój syn.

Chłopak siedzący w fotelu obrzucił ich znudzonym spojrzeniem.

— Nie chciałbyś się przejechać swoim nowym samochodem? — spytał mężczyzna.

— A po co?

— No wiesz, dziewczyny i tak dalej...

— E tam...!

I znowu zaczął patrzeć przed siebie zamglonym wzrokiem.

— Zupełnie nie rozumiem tej dzisiejszej młodzieży — powiedział mężczyzna, uśmiechając się niepewnie.

Jensen nie odpowiedział. Uśmiech natychmiast zgasł na twarzy gospodarza.

Okazało się, że w bibliotece nie ma żadnych książek. Był to po prostu duży, jasny pokój, w którym stało kilka szaf i kompletów wypoczynkowych. Na stolikach leżały porozkładane różne tygodniki.

Mężczyzna dokładnie zamknął drzwi i spojrzał na Jensena proszącym wzrokiem. Na twarzy komisarza pojawił się wyraz powagi. Mężczyzna podszedł do jednej z szaf, wyjął z niej niewielką szklankę, napełnił ją wódką i wypił jednym haustem. Potem znowu sobie nalał, spojrzał na Jensena i mruknął:

— No tak, to chyba nic ma sensu. Pan pewnie nie życzy sobie... nie, oczywiście, że nie, przepraszam. Rozumie pan, to szok.

Mężczyzna opadł na krzesło. Jensen stał w miejscu. Wyjął notes. Twarz mężczyzny świeciła się od potu. Wytarł ją zwiniętą chusteczką do nosa.

— Mój Boże, wiedziałem, że tak się stanie. Wiedziałem to od samego początku. Wiedziałem, że te bydlaki wbiją mi nóż w serce, gdy tylko będzie po wyborach. Ale ja się nie dam — dodał porywczym tonem. — Pewnie będą chcieli mi wszystko odebrać. Ale ja sporo wiem, wiem o różnych sprawkach, o tym, czego oni nie...

Jensen nie odrywał od niego wzroku.

— Są różne sprawy — kontynuował mężczyzna. — Na przykład liczby, które trudno by im było wytłumaczyć. Czy pan wie, ile płacą podatku? Czy pan wie, ile zarabiają ich specjaliści od spraw podatkowych? Czy pan wie, gdzie ci specjaliści są naprawdę zatrudnieni? — Podrapał się nerwowo po głowie i rzekł nieszczęśliwym głosem: — Tak, tak, przepraszam... nie chodzi mi oczywiście o to, że... mojej sprawy nie da się już bardziej pogorszyć, ale... — Nagle zaczął mówić napastliwym tonem: — Czy to przesłuchanie musi się odbywać tutaj? W moim domu?

Przecież i tak już wszystko wiecie. Czy pan musi tak stać? Nie może pan usiąść?

Jensen się nie ruszał i nie odzywał.

Mężczyzna opróżnił szklankę i odstawił ją z trzaskiem. Ręce zaczęły mu drżeć.

— No dobra, niech pan zaczyna — powiedział ze zrezygnowanym wyrazem twarzy. — Chcę to już mieć za sobą.

Wstał z krzesła, podszedł do szafy i niezdarnie próbował poradzić sobie ze szklanką i nakrętką butelki. Jensen otworzył notes i wyjął długopis.

— Kiedy przestał pan tam pracować? — spytał.

— Jesienią. Dziesiątego września. Nigdy tego dnia nie zapomnę. Tak samo jak kilku wcześniejszych tygodni. Były straszne, tak samo straszne jak dzisiejszy dzień.

— Przeszedł pan na wcześniejszą emeryturę?

— Naturalnie. Zmusili mnie. Oczywiście z dobrej woli. Dostałem nawet zaświadczenie lekarskie. O wszystkim pomyśleli. Lekarz stwierdził chorobę serca. To dobrze brzmi. A przecież byłem całkowicie zdrowy.

— A emerytura?

— Przyznali mi pełną kwotę i od tamtej pory ją dostaję. Boże, przecież dla nich to drobna suma w porównaniu z tym, co muszą płacić swoim specom od podatków. Poza tym mogą przestać mi płacić w każdej chwili, przecież podpisałem tamten dokument.

— Jaki dokument?

— Nazwali to sprawozdaniem. Przyznaniem się do winy. Chyba pan je czytał? Podpisałem też dokument stwierdzający, że przekazuję im moje nieruchomości i dochody. Powiedzieli, że chcą to mieć tylko pro forma i że ich nie wykorzystają, chyba że będzie taka konieczność. Tak, nigdy nie robiłem sobie żadnych iluzji, tylko nie sądziłem, że dojdzie do tego tak szybko. Bardzo długo próbowałem sobie wmawiać, że nie zgłoszą sprawy na policję, że nie odważą się wywołać skandalu, że nie dojdzie do jawnego procesu i całej tej gadaniny. Przecież mieli mnie na widelcu, a to — mężczyzna zatoczył ręką koło — równoważy ich straty, chociaż suma wydawała się duża.

— Jak duża?

— Prawie milion. Ale czy ja muszę o tym znowu opowiadać? Tu, w domu?

— Czy cała kwota była w gotówce?

— Nie, niecała połowa. Poza tym była rozłożona na wiele lat. A reszta...

— Tak?

— Reszta to były materiały, głównie materiały budowlane, środki transportu, siła robocza, papier, koperty. Ten łobuz dostał wszystko, nawet klej i gumki do wiązania.

— Łobuz... to znaczy kto?

— Ten gnojek, który prowadził dochodzenie. Ich ulubieniec, zastępca dyrektora wydawnictwa. Tamtych nie widziałem ani razu. Zastępca wyjaśnił mi, że nie chcą sobie brudzić rąk takimi sprawami. Ostrzegał, że nikt nie może się o niczym dowiedzieć. Powiedział, że mogłoby to przysporzyć koncernowi wiele nieodwracalnych szkód. To stało się potem. Przeczuwałem, że poczekają, aż będzie po wszystkim.

Mężczyzna nieustannie wycierał twarz chusteczką, która zrobiła się szara i wilgotna.

— Co pan... co pan zamierza ze mną zrobić?

— Czy odchodząc z firmy, nie dostał pan czegoś w rodzaju dyplomu? Listu pożegnalnego?

Mężczyzna załkał.

— Tak — odparł bezdźwięcznym głosem.

— Chciałbym go zobaczyć.

— Teraz?

— Natychmiast.

Mężczyzna podniósł się niezgrabnie i wyszedł z pokoju, starając się przybrać bardziej spokojny wyraz twarzy. Po minucie wrócił z dyplomem. Dokument był oprawiony w szkło i szerokie pozłacane ramki. Dyplom podpisali prezes koncernu i redaktor naczelny.

— Są jeszcze dwie strony, bez nadruku. Co pan z nimi zrobił?

Mężczyzna spojrzał na Jensena spłoszonym wzrokiem.

— Nie pamiętam. Pewnie wyrzuciłem. Chyba je odciąłem, zanim dałem dyplom do oprawy.

— Nie jest pan tego pewien?

— Nie, ale musiałem je wyrzucić później. Pamiętam, że coś ciąłem.

— Nożyczkami?

— Tak, jestem tego pewien.

Mężczyzna spojrzał na dyplom i potrząsnął nim.

— Co za oszustwo — mruknął. — Co za obłuda. Co za potworne oszustwo.

— Tak — przyznał Jensen.

Zamknął notes, schował go do kieszeni i wstał z krzesła.

— Żegnam — powiedział.

Mężczyzna spojrzał na niego niepewnym wzrokiem.

— Kiedy pan... wróci?

— Nie wiem — odparł Jensen.

Chłopak w przedpokoju siedział w tej samej pozycji co wcześniej. Tym razem studiował horoskop w jednym z tygodników. Widać było, że średnio go to interesuje.

Zapadł wieczór, gdy Jensen ruszył w powrotną drogę. Budynki w zrujnowanych dzielnicach przypominały czarne upiory z gęstego lasu.

Nie chciało mu się wracać do biura, więc pojechał prosto do domu. Po drodze zatrzymał się przy fast foodzie. I chociaż zdawał sobie sprawę z konsekwencji, zjadł trzy kanapki i wypił dwa kubki czarnej kawy.

Tak upłynął dzień czwarty.

16

Jensen kończył się właśnie ubierać, gdy zadzwonił telefon. Dochodziła siódma rano, a on stał przed lusterkiem w łazience i golił się. W nocy dostał kolki. Teraz kłucie ustąpiło, ale Jensen był obolały.

Domyślił się, że to sprawa służbowa, bo nigdy nie używał domowego telefonu do rozmów prywatnych. Nie pozwalał też, żeby ktokolwiek dzwonił pod ten numer.

— Jensen — usłyszał w słuchawce głos komendanta policji. — Co pan wyrabia?

— Zostały nam jeszcze trzy dni.

— Nie o to mi chodzi.

— Dopiero zacząłem przesłuchiwać ludzi.

— Nie chodzi mi o tempo pracy.

Jensen nie wiedział, co na to odpowiedzieć. Komendant rozkaszlał się do słuchawki.

— Na szczęście dla mnie i dla pana sprawa się wyjaśniła.

— Wyjaśniła?

— Tak, dyrekcja koncernu sama znalazła sprawcę.

— Kogo?

— To ktoś z pracowników koncernu. Tak jak podej-
rzewaliśmy od początku, był to głupi żart. To dziennikarz
zatrudniony w jednym z czasopism. Młody mężczyzna,
prawdopodobnie związany z bohemą artystyczną, zawsze
miał wiele niemądrych pomysłów, ale w sumie porządny
człowiek. Chyba podejrzewali go od samego początku,
chociaż nie bardzo chcieli nam o tym powiedzieć.

— Rozumiem.

— Myślę, że nie chcieli rzucać na niego nieuzasad-
nionych podejrzeń.

— Rozumiem.

— W każdym razie sprawa jest jasna. Firma zrezyg-
nowała z oskarżania go o cokolwiek. Uznali, że lepiej
ponieść stratę i okazać mu łaskę, niż stawiać go przed
sądem. Myślę, że może pan zakończyć sprawę.

— Rozumiem.

— Mam tu adres tego człowieka. Proszę sobie zapisać.
Jensen zapisał dane.

— Najlepiej niech pan od razu do niego pojedzie.
Będziemy mieć to z głowy. Wszyscy.

— Tak.

— Potem niech pan doprowadzi sprawę do końca
zgodnie z procedurą i umorzy ją. W razie gdyby ktoś
chciał zajrzeć do akt.

— Rozumiem.

— Jensen?

— Tak?

— To nie pana wina, że sprawę umarzamy. To całkiem normalne, że tak się zakończyła. Oczywiste, że pracownicy koncernu mieli większą szansę na znalezienie sprawcy. Ich wiedza o personelu i stosunkach panujących wewnątrz firmy dała im nad nami przewagę.

Jensen nie odpowiedział. Komendant oddychał ciężko i nierówno.

— Jest jeszcze jedna rzecz — powiedział.

— Tak?

— Na samym początku podkreślałem, że ma pan się skoncentrować wyłącznie na dochodzeniu w sprawie listu. Tak było?

— Tak, to prawda.

— Oznacza to, że nie musi się pan interesować innymi sprawami, z którymi się pan zetknął w trakcie dochodzenia. Gdy pan zweryfikuje zeznanie tego żartownisia, zakończy pan sprawę. Potem proszę o wszystkim zapomnieć. Zrozumiano?

— Zrozumiano.

— Uważam, że tak będzie lepiej dla obu stron... zwłaszcza dla pana i dla mnie.

— Rozumiem.

— To dobrze. Żegnam.

Jensen wrócił do łazienki i dokończył golenia. Potem

ubrał się, wypił szklankę gorącej wody z miodem i bez pośpiechu przeczytał poranną gazetę.

Chociaż ruch na autostradzie był mniejszy niż zwykle, jechał ze średnią prędkością. Kiedy dotarł do komisariatu, było już wpół do dziesiątej.

Przcz chwilę siedział przy biurku i nawet nie zajrzał do raportów ani do listy z adresami. Zadzwonił do szefa wywiadowców, dał mu swoje kartki z notatkami i powiedział:

— Dowiedz się czegoś o tym człowieku. Chcę wiedzieć wszystko, co można zebrać. To pilne.

Jensen dość długo stał przy oknie i obserwował ludzi, którzy nie zdążyli jeszcze zakończyć dezynfekcji pomieszczeń. Zauważył, jak dwaj policjanci w zielonych mundurach prowadzą pijanego mężczyznę. To pierwszy tego dnia. Chwilę później zadzwonił policjant, który szukał śladów na poczcie.

— Gdzie jesteś? — spytał Jensen.

— W głównym archiwum czasopism.

— Znalazłeś coś?

— Jeszcze nie. Mam kontynuować?

— Tak — potwierdził Jensen.

Godzinę później wrócił szef wywiadowców.

— I co?

— Ma dwadzieścia sześć lat. Syn znanego przedsiębiorcy. Rodzina uważana za bogatą. Pracuje jako dziennikarz w jednym z tygodników. Porządne wykształcenie.

Stan wolny. Podobno był protegowanym swoich szefów, pewnie dzięki rodzinnym znajomościom. Usposobienie... — Policjant zmarszczył czoło i studiował tekst na kartce, jakby miał kłopot z odczytaniem własnego charakteru pisma. — Labilny, spontaniczny, szarmancki, dowcipny. Ma skłonność do opowiadania drastycznych kawałów. Słabe nerwy, niska wiarygodność, słomiany zapał. Siedem razy zatrzymany za pijaństwo, dwa razy w klinice na kuracji odwykowej. Paskudna kartoteka.

— Wystarczy — przerwał mu Jensen.

O wpół do pierwszej zamówił w stołówce lunch: dwa jajka na miękko, kubek herbaty i trzy sucharki z mąki pszennej.

Kiedy zjadł, wstał zza biurka, włożył kapelusz i płaszcz, zszedł do samochodu i ruszył na południe.

Poszedł pod wskazany adres. Mieszkanie znajdowało się w zwykłym domu czynszowym na drugim piętrze. Zadzwonił, ale nikt nie otwierał. Zaczął nasłuchiwać i wydało mu się, że słyszy słaby dźwięk muzyki dobiegający ze środka. Chwilę później ujął klamkę. Drzwi nie były zamknięte na klucz, więc wszedł.

Było to standardowe mieszkanie. Przedpokój, kuchnia, dwa pokoje z gołymi ścianami, okno bez firanki. Na środku pokoju stał drewniany stolik, a obok niego butelka po koniaku. Na krześle siedział nagi mężczyzna i grał na gitarze.

Odwrócił głowę i spojrzał na nieznanego gościa. Nie przestał grać na gitarze i nic nie powiedział.

Jensen przeszedł do następnego pokoju. Tam też nie było mebli, dywanów oraz firanek. Za to na podłodze leżało kilka butelek i stos ubrań. W rogu na materacu spała kobieta owinięta kołdrą i kocami, z głową wtuloną w poduszkę. Jedno jej ramię spoczywało na podłodze, w zasięgu miała papierosy, brązową torebkę i popielniczkę.

Powietrze było ciężkie i nieświeże. Jensen poczuł wódkę, dym tytoniowy i zapach ludzkich ciał. Otworzył okno.

Kobieta uniosła głowę z poduszki i spojrzała na niego zdziwionym wzrokiem.

— Kim pan, u diabła, jest? — spytała. — Czego pan tu szuka?

— To policjant, kochanie, czekaliśmy na niego przez cały dzień! — zawołał mężczyzna z pierwszego pokoju. — Wielki detektyw, który się tu zjawił, żeby nas przyskrzynić.

— Spadaj — odparła kobieta. Głowa znowu jej opadła na poduszkę.

Jensen podszedł do materaca.

— Proszę pokazać dowód osobisty — powiedział.

— Spadaj — powtórzyła kobieta zduszonym, zaspanym głosem.

Jensen schylił się, otworzył jej torebkę i po chwili znalazł dowód. Przejrzał dane osobowe kobiety. Miała dziewiętnaście lat. W prawym górnym rogu dowodu zauważył dwa czerwone, dobrze widoczne paski. Widać było, że ktoś próbował je usunąć. Paski oznaczały, że kobieta została dwa razy zatrzymana za pijaństwo. Za trzecim razem zostanie automatycznie wysłana do kliniki na kurację odwykową.

Jensen wyszedł z mieszkania. Zatrzymał się w drzwiach i powiedział do mężczyzny:

— Wrócę za pięć minut. Macie być oboje ubrani.

Zszedł do samochodu i wywołał patrol. Mikrobus zjawił się po trzech minutach. Jensen zabrał dwóch policjantów do mieszkania. Mężczyzna zdążył włożyć koszulę i spodnie. Siedział na parapecie i palił papierosa. Kobieta w dalszym ciągu spała.

Jeden z policjantów wyjął alkomat, uniósł głowę kobiety z poduszki i wsunął jej ustnik między wargi.

— Oddychaj — powiedział.

Kryształki w gumowym zbiorniku zabarwiły się na zielono.

— Ubieraj się — rozkazał.

Kobieta natychmiast się obudziła. Wygramoliła się z pościeli i podciągnęła kołdrę pod szyję.

— Nie — powiedziała. — Nie wolno wam. Nic nie zrobiłam. Ja tu mieszkam. Nie wolno wam. Nie, nie, na miłość boską, nie.

— Zbieraj się — rzucił policjant i kopnął ubrania w jej stronę.

— Nie, nie chcę! — krzyknęła kobieta i rozrzuciła rzeczy po podłodze.

— Zabierzcie ją w kocu — zadecydował Jensen. — Musimy się spieszyć.

Kobieta spojrzała na niego dzikim, pustym i przerażonym wzrokiem. Prawy policzek miała zaczerwieniony i pomarszczony od poduszki, włosy krótko ostrzyżone, najeżone i skłębione.

Jensen przeszedł do drugiego pokoju. Mężczyzna wciąż siedział na parapecie. Kobieta płakała i krzyczała histerycznie, stawiała opór. Nie trwało to jednak długo. Po niecałych dwóch minutach policjanci obezwładnili ją i wyprowadzili z mieszkania. Jensen spojrzał na zegarek.

— Czy to naprawdę było konieczne? — spytał mężczyzna. Głos miał spokojny, ale niepewny, drżały mu ręce.

— A więc to pan wysłał list — rzekł Jensen.

— Tak, przyznaję się. To ja go, do cholery, wysłałem.

— Kiedy go pan wysłał?

— W niedzielę.

— O której godzinie?

— Wieczorem. Nie pamiętam.

— Przed dziewiątą czy po dziewiątej?

— Chyba po. Mówiłem, że nie pamiętam godziny.

— Gdzie napisał pan list?

— W domu.

— Tutaj?

— Nie, w domu moich rodziców.

— Jakiego papieru pan użył?

— Zwykłego białego papieru.

Mężczyzna odzyskał pewność siebie i spoglądał na Jensena chłodnym wzrokiem.

— Czy to był papier maszynowy?

— Nie, lepszego gatunku. Jakiego używa się do drukowania dyplomów.

— Skąd pan wziął ten papier?

— Z wydawnictwa, leżał i poniewierał się wszędzie. Ludzie, którzy przechodzą na emeryturę albo dostają wypowiedzenie, otrzymują takie dyplomy. Mam go opisać?

— Nie trzeba. Gdzie pan znalazł ten papier?

— Już mówiłem, w wydawnictwie.

— A dokładniej?

— Po prostu tam leżał, poniewierał się. To chyba były jakieś próbki dla kogoś czy coś takiego.

— Leżał na pańskim biurku?

— Tak sądzę — odparł mężczyzna. Widać było, że się zastanawia. — A może leżał na jakiejś półce — dodał.

— Kiedy to się stało?

— O, wiele miesięcy temu. Może mi pan wierzyć albo nie, ale dokładnie nie pamiętam. Nie, naprawdę nie pamiętam, ale na pewno nie w tym roku.

— I po prostu go pan wziął?

— Tak.

— Dla żartu?

— Właściwie po to, żeby go wykorzystać na krotochwile.

— Krotochwile?

— To takie dawne słowo, oznacza „żart".

— Co to miał być za żart?

— Taki dyplom można wykorzystać do wszystkiego: napisać nieprawdziwe nazwisko, nakleić zdjęcie gołej kobiety i wysłać to jakiemuś durniowi.

— Kiedy pan wpadł na pomysł z listem?

— W niedzielę. Nie miałem akurat nic szczególnego do roboty. Wpadłem na pomysł, że mógłbym zrobić w konia tych na górze. Chciałem tylko zażartować. Nie sądziłem, że aż tak się tym przejmą.

Mężczyzna zachowywał się z coraz większą pewnością siebie i mówił coraz bardziej ostrym głosem. Teraz jednak zwrócił się do Jensena bardziej pojednawczym tonem:

— Skąd mogłem wiedzieć, że zrobi się z tego taka afera. Nie zastanawiałem się nad tym.

— Jakiego kleju pan użył?

— Własnego. To był zwykły klej.

Jensen skinął głową.

— Proszę mi pokazać dowód osobisty.

Mężczyzna od razu wyjął dokument. Było w nim sześć czerwonych pasków, wszystkie przekreślone niebieskim kolorem.

— Nie ma sensu wysyłać mnie na odwyk, mam za sobą już trzy takie kuracje.

Jensen oddał mu dowód.

— Za to ona jeszcze tam nie była — dodał mężczyzna,

123

wskazując głową drugi pokój. — Właściwie upiła się przez was. Czekaliśmy na was od wieczoru, więc co nam pozostało? Nie umiem tak siedzieć i nic nie robić. Biedactwo.

— Czy to pańska narzeczona?

— Można to tak określić.

— Mieszka tutaj?

— Tak, prawie cały czas. To dobra, równa dziewczyna, choć trochę trudna i jakby staroświecka. Namiętna jak kotka, jeśli pan rozumie, co mam na myśli.

Jensen skinął głową.

— À propos, co by się stało, gdyby mój wuj... gdyby ci z góry nie wycofali oskarżenia? Jakiej mógłbym się spodziewać kary?

— O tym musiałby rozstrzygnąć sąd — odparł Jensen i zamknął notes.

Mężczyzna wyjął paczkę papierosów i zapalił jednego. Zeskoczył z parapetu i całkiem rozluźniony oparł się o ścianę.

— No to mam pieprzone szczęście.

Jensen schował notes do kieszeni i zerknął na drzwi.

— Zanim pan nakleił litery, rozerwał pan obie kartki dyplomu?

— Oczywiście.

— Rozerwał je pan?

— Tak.

— A może rozciął? Nożyczkami...

124

Mężczyzna szybkim ruchem przyłożył dłoń do nosa. Przesunął palcami wzdłuż brwi, zmarszczył czoło i spojrzał na Jensena.

— Właściwie to nie jestem pewien — odparł.

— Niech pan spróbuje sobie przypomnieć.

Milczenie.

— Nie, nie pamiętam.

— Gdzie nadał pan list?

— Tu. W mieście.

— Dokładniej proszę.

— Wrzuciłem do jakiejś skrzynki.

— Proszę dokładnie określić. Do której?

— Dokładnie nie pamiętam.

— Nie wie pan, do której skrzynki wrzucił list?

— Mówiłem przecież, że gdzieś na mieście. Ale nie potrafiłbym jej zlokalizować.

— Naprawdę?

— Nie, byłoby dziwne, gdybym to zapamiętał. W mieście jest pełno takich skrzynek, prawda?

Jensen nie odpowiedział.

— Prawda? — powtórzył mężczyzna poirytowanym głosem.

— Tak, ma pan rację.

— No właśnie.

— Ale z pewnością pamięta pan, w której to było dzielnicy?

Jensen spoglądał przez okno wzrokiem pozbawionym

wyrazu. Mężczyzna próbował wyczytać coś z jego twarzy. Kiedy mu się nie udało, odwrócił głowę na bok i powiedział:

— Nie, tego też nie pamiętam. Czy to ważne?

— Gdzie mieszkają pana rodzice?

— We wschodniej części miasta.

— To może wrzucił pan list w pobliżu miejsca ich zamieszkania?

— Powiedziałem, że nie wiem. Czy to, do cholery, ważne?

— A może zrobił pan to gdzieś w południowej części miasta?

— Tak, do diabła. Nie, właściwie nie wiem.

— Gdzie wrzucił pan ten list?

— Jeszcze raz powtarzam, do cholery, że nie wiem — odparł mężczyzna histerycznym tonem. Ciężko oddychał. Po krótkiej przerwie dodał: — Przez cały wieczór jeździłem po mieście.

— Sam?

— Tak.

— I nie wie pan, gdzie wrzucił list do skrzynki?

— Nie. Ile razy mam to jeszcze powtarzać?

Mężczyzna zaczął chodzić po pokoju szybkimi, nerwowymi krokami.

— A więc nie pamięta pan?

— Nie.

— Nie wie pan, gdzie wrzucił ten list?

— Nie! — krzyknął mężczyzna, nie mogąc już nad sobą zapanować.

— Proszę się ubrać, pojedzie pan ze mną.

— A dokąd?

— Do komisariatu.

— A nie wystarczy, że wpadnę jutro i podpiszę zeznanie? Mam dziś wieczorem sporo pracy.

— Nie.

— A jeśli odmówię?

— Nie ma pan prawa odmawiać. Jest pan zatrzymany.

— Zatrzymany? Co to za bzdury? Przecież firma wycofała doniesienie. Zatrzymany? Za co?

— Za złożenie nieprawdziwych zeznań.

W samochodzie panowało zupełne milczenie. Mężczyzna siedział z tyłu, więc Jensen mógł go obserwować w lusterku i prawie nie musiał szukać go wzrokiem. Młody człowiek zachowywał się nerwowo. Kiedy mu się wydawało, że Jensen go nie obserwuje, obgryzał paznokcie.

Jensen wjechał na dziedziniec komisariatu i zaparkował przy wejściu do aresztu. Przeprowadził mężczyznę przez dyżurkę i skierował się dalej, wzdłuż cel pełnych pijanych mężczyzn. Płakali albo siedzieli skurczeni w beznadziejnej pozycji. Jensen otworzył jedną z wolnych cel.

Wnętrze jasno oświetlone. Sufit, ściany i podłogi białe, a pośrodku taboret z bakelitu.

Mężczyzna rozejrzał się po celi bezradnym wzrokiem i usiadł na stołku. Jensen wyszedł i zamknął drzwi na klucz.

Udał się do swojego pokoju, podniósł słuchawkę, wykręcił trzycyfrowy numer i powiedział:

— Przyślijcie kogoś do aresztu. Chodzi o przesłuchanie. Zatrzymany mężczyzna musi odwołać fałszywe zeznanie. Sprawa pilna.

Jensen wyjął z kieszeni białą kartkę, położył ją na biurku i w lewym górnym rogu narysował pięcioramienną gwiazdę. Potem całą szerokość kartki wypełnił podobnymi gwiazdami. W następnym rzędzie narysował maleńkie gwiazdy sześcioramienne o tym samym kształcie. Kiedy wypełnił ostatni rząd, policzył wszystkie gwiazdy. W sumie narysował tysiąc dwieście czterdzieści dwie, w tym sześćset trzydzieści trzy pięcioramienne i sześćset dziewięć sześcioramiennych.

Denerwowało go drapanie w gardle i ssanie w żołądku, więc wypił swoje lekarstwo. Z ulicy dobiegały różne głośne dźwięki, jakby ktoś się z kimś szarpał. Jednakże Jensen w ogóle się tym nie zainteresował. Nie chciało mu się nawet podejść do okna.

Cztery i pół godziny później zadzwonił telefon.

— Sprawa się wyjaśniła — powiedział policjant prowadzący przesłuchanie. — To nie on wysłał list, ale długo nie chciał się do tego przyznać.

— A protokół?

— Podpisany i gotowy.

— Motyw?

— Myślę, że pieniądze. Ale do tego nie chce się przyznać.

— Wypuśćcie go.

— Czy sprawa trafi do sądu?

— Nie.

— Czy mam z niego wyciągnąć, kto mu dał pieniądze?

— Nie.

— Nie będzie to trudne.

— Nie — powtórzył Jensen. — To niekonieczne.

Odłożył słuchawkę, podarł kartkę z gwiazdami i wrzucił do kosza. Potem wyjął listę z dziewięcioma nazwiskami, otworzył notes i napisał: „Numer 2, 42 lata, dziennikarz, rozwiedziony, odszedł z firmy na własne żądanie".

Jensen pojechał do domu i położył się do łóżka. Nic nie jadł ani nie pił. Był już bardzo zmęczony, ból gardła przeszedł, ale komisarz zasnął dopiero po dłuższym czasie.

Minął piąty dzień. Dzień stracony. Bezpowrotnie.

17

— To był mój błąd — przyznał się Jensen.

— Nie rozumiem. Co się stało? Przecież przyznał się do winy?

— Zeznanie zostało mu podyktowane przez kogoś innego.

— I potwierdził to?

— Tak, później.

— I utrzymuje pan, że facet przyznał się do czynu, którego nie popełnił? Jest pan pewien?

— Tak.

— Czy poznał pan przyczyny jego zachowania?

— Nie.

— Czy ten szczegół ma jakiś wpływ na przebieg dochodzenia?

— Niekoniecznie.

— Racja. Może tak będzie najlepiej — rzekł komendant.

Zabrzmiało to tak, jakby wypowiedział te słowa do siebie.

— Jensen?

— Tak?

— Pańska sytuacja nie jest godna pozazdroszczenia. Z tego, co wiem, polecenic zatrzymania sprawcy jest aktualne. Ma pan jeszcze dwa dni. Załatwi pan wszystko do końca?

— Nie wiem.

— Jeśli nie uda się panu aresztować sprawcy do poniedziałku, nie biorę odpowiedzialności za konsekwencje. W zasadzie nie będę mógł ich pominąć. Czy muszę o tym przypominać?

— Nic.

— Niepowodzenie w tej sprawie doprowadzi też do wyciągnięcia przykrych konsekwencji wobec mnie.

— Rozumiem.

— Po tak nieoczekiwanym zwrocie w postępowaniu jest rzeczą jeszcze bardziej oczywistą niż przedtem, żc dochodzenie powinno być prowadzone w możliwie najbardziej dyskretny sposób.

— Rozumiem.

— Ufam pańskiej ocenie. Powodzenia.

Komendant zadzwonił do Jensena prawie o tej samej godzinie co poprzedniego dnia. Jednakże tym razem Jensen akurat wychodził z pokoju. Chociaż ostatniej nocy przespał zaledwie dwie godziny, czuł się rześki i wypo-

131

częty. Niestety, woda z miodem nie stłumiła uczucia głodu, a ssanie w brzuchu było równie intensywne jak przed jej wypiciem.

— Powinienem zjeść coś gorącego jutro albo najpóźniej pojutrze — powiedział do siebie, schodząc po schodach. Rzadko mu się zdarzało rozmawiać z samym sobą.

O świcie spadł deszcz, który rozpuścił zalegający śnieg. Było kilka stopni powyżej zera, chmury rozwiał wiatr, świeciło słońce.

W komisariacie wszyscy dopiero szykowali się do pracy. Przy wejściu do aresztu stał szary mikrobus. Miał zawieźć do kliniki odwykowej osoby przyłapane po raz trzeci na pijaństwie. Policjanci wyprowadzali je z cel. Po nocnym dyżurze funkcjonariusze mieli blade, zmęczone twarze. Aresztanci ustawili się przed wejściem w długim, milczącym szeregu. Mieli jeszcze przejść ostatnie badania i dostać zastrzyk.

Jensen podszedł do stolika, przy którym siedział lekarz.

— Jak noc? — spytał.

— Normalna, to znaczy trochę gorsza niż poprzednia.

Jensen skinął głową.

— Mieliśmy znowu nagłą śmierć. Tym razem to kobieta.

— Tak?

— Wcześniej zdążyła złożyć zeznanie. Powiedziała, że piła, żeby łatwiej mogła podjąć jakąś decyzję, i że przeszkodzili jej w tym policjanci. Nie mogliśmy jej uratować.

— Jak to się stało?

— Rzuciła się z całej siły na ścianę celi i roztrzaskała sobie czaszkę. Trudno się tak zabić, ale jej się udało.

Lekarz spojrzał na Jensena. Miał spuchnięte oczy w czerwonych obwódkach. Jensen wyczuł zapach alkoholu. Na pewno nie pochodził od mężczyzny, który przed chwilą dostał zastrzyk.

— W tym zawodzie potrzeba mnóstwa siły i wytrzymałości — oznajmił lekarz. — A tu wypadałoby wymienić izolację na ścianach.

Większość osób wyprowadzonych z aresztu stała z rękami w kieszeniach i z apatycznie spuszczonymi głowami. Ich twarze nie ukazywały już strachu i rozpaczy, została w nich tylko pustka.

Jensen poszedł do swojego pokoju, wyjął dwie kartki i zapisał na nich dwie uwagi.

„Lepsza izolacja ścian".

„Nowy lekarz".

Doszedł do wniosku, że w pokoju nie ma już nic do roboty, więc prawie od razu wyszedł. Było dwadzieścia po ósmej.

18

Przedmieście położone było dwadzieścia kilometrów na południe od centrum i należało do kategorii, które specjaliści z Ministerstwa Pracy i Spraw Socjalnych określali mianem „samooczyszczających się dzielnic".

Powstało w okresie, gdy na rynku występował niedobór mieszkań. Składało się z trzydziestu kilku budynków ustawionych symetrycznie wokół dworca autobusowego i tak zwanego centrum handlowego. Linia autobusowa została niedawno zlikwidowana, prawie wszystkie sklepy zamknięte. Wielki plac wyłożony kamiennymi płytami zalegały samochodowe wraki. Ludzie zajmowali około dwudziestu procent wszystkich mieszkań.

Jensen z trudem odnalazł zapisany adres. Zaparkował samochód i wysiadł. Budynek składał się z czternastu pięter. W miejscach, gdzie tynk nie odpadł, ściany poczerniały od wilgoci. Chodnik przed wejściem do budynku był zasypany okruchami szkła, a roślinność w postaci wątłych drzew i krzewów przebiła się aż do fundamentów. Nie ulegało wątpliwości, że z czasem ich korzenie rozsadzą podłoże.

Winda nie działała, więc Jensen musiał pofatygować się na dziewiąte piętro pieszo. W klatce schodowej panował chłód, była niesprzątana i słabo oświetlona. Drzwi do niektórych mieszkań były otwarte na oścież. Widoczne przez nie pomieszczenia znajdowały się w takim stanie, w jakim zostawili je dawni mieszkańcy: brudne i zaśmiecone, z popękanymi ścianami i sufitami. O tym, że niektóre z mieszkań są zamieszkane, świadczył zapach pieczeni i huczące telewizory nadające przedpołudniowe programy. Można było odnieść wrażenie, że ściany i sufity są całkowicie pozbawione izolacji dźwiękochłonnej.

Na piątym piętrze Jensen zaczął ciężko oddychać. Kiedy dotarł na dziewiątą kondygnację, ból rozsadzał mu klatkę piersiową. Odezwał się też stary ból po prawej stronie przepony. Po kilku minutach udało mu się wyrównać oddech. Wyjął odznakę służbową i zapukał do drzwi.

Otworzył mu mężczyzna, który od razu spytał:

— Policja? Jestem trzeźwy i nie piję od lat.

— Komisarz Jensen z szesnastego komisariatu. Prowadzę dochodzenie, które dotyczy pańskiego dawnego miejsca pracy.

— Naprawdę?

— Mam kilka pytań.

Mężczyzna wzruszył ramionami. Był dobrze ubrany, miał szczupłą twarz i zrezygnowane spojrzenie.

— Niech pan wejdzie — powiedział.

Było to standardowe mieszkanie z typowym umeblowaniem. Jensen zauważył regał z kilkunastoma książkami. Na stole stała filiżanka kawy, obok leżały: masło, chleb, ser i gazeta.

— Proszę usiąść.

Jensen się rozejrzał. Mieszkanie przypominało jego własne lokum. Usiadł, wyjął długopis i notes.

— Kiedy zakończył pan pracę w firmie?

— W grudniu zeszłego roku, tuż przed Bożym Narodzeniem.

— Sam pan złożył wymówienie?

— Tak.

— Długo pan pracował dla koncernu?

— Tak.

— Dlaczego pan odszedł?

Mężczyzna wypił łyk kawy i spojrzał na sufit.

— To długa historia. Nie sądzę, żeby pana zainteresowała.

— Dlaczego pan odszedł?

— Okay, to żadna tajemnica, ale trudno mi będzie wyjaśnić cały kontekst.

— Niech pan spróbuje.

— Po pierwsze, twierdzenie, że odszedłem na własną prośbę, nie do końca jest prawdziwe.

— To znaczy?

— Zabrałoby mi to kilka dni, a i tak nic by pan nie zrozumiał. Mogę opowiedzieć o przebiegu wydarzeń jedynie w dużym skrócie. — Mężczyzna zrobił przerwę. — Najpierw jednak chciałbym się dowiedzieć dlaczego. Czy jestem o coś podejrzany?

— Tak.

— I oczywiście nie powie mi pan o co?

— Nie.

Mężczyzna wstał z krzesła i podszedł do okna.

— Przeprowadziłem się tutaj, kiedy to osiedle było jeszcze nowe. Całkiem niedawno. Wkrótce potem znalazłem pracę w koncernie. Można powiedzieć, że na skutek nieszczęśliwego przypadku.

— Nieszczęśliwego przypadku?

— Wcześniej pracowałem w innej gazecie, pewnie już jej pan nie pamięta. Wydawała ją partia socjalistyczna wspólnie ze związkami zawodowymi. Był to największy tygodnik w kraju, całkowicie niezależny od koncernu. Miał spore ambicje, zwłaszcza jeśli chodzi o tematykę kulturalną, chociaż akurat na tym froncie klimat zaczął się pogarszać już wtedy.

— Ambicje kulturalne?

— Tak, propagowali sztukę i poezję, drukowali opowiadania literackie i tak dalej. Nie znam się na tym, bo pracowałem tam jako dziennikarz i zajmowałem się tematami politycznymi i społecznymi.

— Czy pan był socjalistą?

— Tak, i to radykalnym. Właściwie to należałem do skrajnie lewicowej frakcji partii socjalistycznej, ale nie zdawałem sobie z tego sprawy.

— I co dalej?

— Pismo nie przynosiło kroci. Nie mieliśmy wysokich zysków, ale nie było też strat. Tygodnik czytała stosunkowo duża liczba osób, które utożsamiały się z naszymi poglądami. Nasza gazeta stanowiła jedyną przeciwwagę dla publikacji wydawanych przez koncern i wydawnictwo. Zwalczała je i krytykowała, zarówno czynnie, jak i poprzez samo swoje istnienie.

— Jak?

— Przez polemiki, artykuły redakcyjne, otwartą krytykę, opisywanie pewnych kwestii w sposób uczciwy. Koncernowi się to oczywiście nie podobało i kontratakował na różne sposoby.

— Jak?

— Na przykład przez wprowadzanie na rynek kolejnych, nowych czasopism, zbiorów opowiadań, a zwłaszcza wykorzystywanie ogólnej tendencji, jaka istniała w społeczeństwie.

— Jakiej tendencji?

— Ludzie wolą oglądać obrazki, niż czytać teksty, a jeśli już w ogóle cokolwiek czytają, wybierają nic niemówiącą papkę zamiast czegoś, co zmusza ich do myślenia albo wytężania umysłu, albo zajęcia konkretnego stanowiska. Tak to, niestety, wtedy wyglądało. — Mężczyzna wciąż stał przy oknie, zwrócony plecami do Jensena. — Zjawisko to nazywano „intelektualnym wygodnictwem" i zapowiadało nadchodzącą epokę telewizji — dodał.

Nad ich głowami rozległ się huk przelatującego odrzutowca, który kierował się w stronę położonego kilkadziesiąt kilometrów na południe lotniska. Codziennie odlatywały stamtąd za granicę kolejne grupy pasażerów udających się do wybranych miejsc na zasłużony odpoczynek. Lotnisko pracowało na granicy swoich możliwości. Jensen był kiedyś na takiej wycieczce i po powrocie postanowił, że nigdy więcej tego nie zrobi.

— Działo się to w czasach, gdy wiele osób wierzyło, że impotencja wśród mężczyzn i ich oziębłość seksualna są skutkami odpadów radioaktywnych. Pamięta pan?

— Tak.

— No właśnie. A wracając do tematu... koncern nie potrafił przebić się do naszego kręgu czytelników. Nie było ich wielu, ale tworzyli skonsolidowaną grupę i potrzebowali naszego tygodnika. Dla nich stanowił okno na świat. I pewnie głównie dlatego koncern tak bardzo nas nie znosił. A nam się wydawało, że nie może nam nic zrobić. — Mężczyzna się odwrócił i spojrzał na Jensena. — Być może zdaje się to panu dość skomplikowane. Ale uprzedzałem, że nie da się tego wyjaśnić w pięć minut.

— Proszę mówić. Co stało się później?

Mężczyzna uśmiechnął się blado i usiadł na kanapie.

— Co się stało? Niemiłe zaskoczenie. Po prostu nas wykupili. Całkiem elegancko, z całą ekipą i ideologią. Za pieniądze. Używając innego określenia, można powiedzieć, że partia i związki zawodowe sprzedały nas tym, którzy reprezentowali obóz przeciwny.

— Dlaczego?

— Tego też nie da się łatwo wyjaśnić. Stanęliśmy wtedy na rozdrożu. Porozumienie i zgoda zaczęły wypełniać się treścią. To było dawno temu. Czy pan wie, co ja sądzę?

— Nie.

— Właśnie w tamtym okresie socjalizm w wielu krajach przezwyciężył kryzys i udało mu się skonsolidować ludzi, to znaczy ludzi jako ludzi. Sprawił, że poczuli się wolni, pewni siebie, bezpieczni, silniejsi duchowo. Nauczył ich, co praca może znaczyć i co znaczy, uaktywnił, zachęcił do wzięcia odpowiedzialności we własne ręce... Pod względem materialnym wysunęliśmy się naprzód, powinien więc nadejść moment, w którym nasze doświadczenia staną się praktyką. Tymczasem doszło do czegoś zupełnie innego. Sytuacja zaczęła zmierzać w innym kierunku. Czy pan się jeszcze nie pogubił w tym, co mówię?

— Na razie nie.

— Byliśmy już tak bardzo zaślepieni naszą własną doskonałością, tak bardzo przepełnieni wiarą w „efekty praktycznej polityki"... w najprostszych słowach: wierzyliśmy, że udało nam się pogodzić, prawie stopić w jedno, marksizm z plutokracją... tak bardzo, że socjalizm stał się jakby mniej potrzebny. Wydarzyło się coś, co reakcyjni teoretycy przewidzieli wiele lat wczcśnicj. To właśnie wtedy zaczęto zmieniać treść programów politycznych. Wykreślono z nich te fragmenty, które mogły zagrozić porozumieniu i zgodzie. Krok za krokiem odchodzono od najważniejszych zasad. Jednocześnie pojawiły się reakcje moralne. Czy rozumie pan, do czego zmierzam?

— Jeszcze nie.

— Wszyscy starali się zbliżyć stanowiska we wszystkich dziedzinach. Być może nie była to głupia myśl, ale metody, którymi się posługiwano, dążąc do tego cclu, opicrały się prawie całkowicie na przemilczaniu sprzeczności i trudności. Zakłamywano istniejącc problemy. Przechodzono nad nimi do porządku dziennego dzięki ciągłemu podnoszeniu materialnych standardów lub też zaciemniano je bezsensowną gadaniną, która płynęła z radia, prasy i telewizji. Odbywało się to pod takim samym hasłem jak dzisiaj, to znaczy „nieszkodliwej rozrywki". Chodziło oczywiście o to, aby ukryte ogniska zapalne wygasły tymczasem same z siebie. Niestety, tak się nie stało. Jednostka doceniała fakt, że ktoś się nią zajmuje, ale czuła się ubezwłasnowolniona; polityka i społeczeństwo stały się pojęciami niejasnymi i niezrozumiałymi, wszystko było akceptowane, ale za to niecikawe. Reakcją jednostki było zagubienie, a w efekcie obojętność. Na samym dnie czaił się nieokreślony strach. Strach... ale przed czym? Może pan mi powie?

Jensen spojrzał na niego wzrokiem pozbawionym wyrazu.

— Może po prostu przed życiem? Jak zawsze. Absurdem było to, że wszystko stawało się pozornie coraz lepsze. Niestety, na całej tej pięknej konstrukcji pojawiły się trzy rysy: alkoholizm, samobójstwa i niż demograficzny. Wtedy uważano, że o takich zjawiskach nie należy dyskutować, i takie podejście utrzymuje się w dalszym ciągu.

Mężczyzna umilkł. Jensen też się nie odzywał.

— Jedna z zasad — podjął dziennikarz po chwili — które przenikały politykę porozumienia i zgody, chociaż nigdy jej jasno nie zdefiniowano, opierała się na tezie, że wszystko musi się opłacać. Straszne było to, że właśnie to twierdzenie spowodowało, że związki zawodowe i partia sprzedały nas komuś, kogo w tamtych czasach uważaliśmy za odwiecznego wroga. Motywem tej decyzji były po prostu pieniądze, a nie to, że partia chciała pozbyć się radykalnego organu. Dopiero później zrozumiano, jaki to korzystny interes.

— I dlatego czuje się pan taki zgorzkniały? — spytał Jensen.

Jego rozmówca jak gdyby nie zrozumiał pytania.

— Ale nie to było najbardziej bolesną i poniżającą

sprawą. Najgorsze, że wszystko zrobiono bez naszej wiedzy, ponad naszymi głowami. Chyba sobie wmówiliśmy, że odgrywamy ważną rolę, że to, co mówimy i reprezentujemy... jak również ludzie, których reprezentujemy... coś jednak znaczy, przynajmniej w takim stopniu, żeby nam powiedzieć, co partia zamierza zrobić z nami potem. Niestety, tak się nie stało. Sprawę załatwili pod stołem dwaj panowie: szef koncernu i przewodniczący związków zawodowych. Potem poinformowano o tym premiera i partię, a oni zajęli się praktycznymi szczegółami. Najbardziej znani członkowie naszego zespołu redakcyjnego, jak również ci, którzy zajmowali stanowiska kierownicze, dostali jakieś synekury w administracji, nas też gdzieś poupychano. Resztę ludzi wyrzucono na bruk. Znalazłem się gdzieś pośrodku. Tak to się odbyło, jak w średniowieczu. Bo przez stulecia podobne sprawy załatwiano w taki właśnie sposób. Nam, którzy tworzyliśmy tygodnik, pokazano, że nic nie znaczymy. My ze swej strony nie byliśmy w stanie niczego zrobić. I to było najgorsze. Uważam, że to była zbrodnia. Zbrodnia na idei.

— I dlatego czuje się pan zgorzkniały?

— Raczej zrezygnowany.

— Wobec nowego pracodawcy zajął pan stanowisko nacechowane nienawiścią? Mam na myśli koncern i jego prezesa.

— Ależ nie. Jeśli pan tak uważa, to znaczy, że pan mnie nie zrozumiał. Oni zachowali się jak najbardziej

143

logicznie, jeśli spojrzeć na to z ich punktu widzenia. No bo dlaczego mieliby zrezygnować z łatwego zwycięstwa? To tak, jakby generał Miaja zadzwonił do generała Franco w czasie bitwy o Madryt i powiedział: „Czy kupi pan moje samoloty? Zużywają za dużo benzyny". Czy to porównanie coś panu mówi?

— Nie.

— No tak, zresztą jest nieadekwatne. W każdym razie mogę panu udzielić jednoznacznej odpowiedzi na zadane pytanie: nie, moje stanowisko wobec wydawnictwa nie było nacechowane nienawiścią. Ani wtedy, ani później. Dobrze mnie tam potraktowano.

— A mimo to pozbyli się pana?

— W humanitarny sposób. Poza tym sam sprowokowałem ich do takiej decyzji.

— Jak?

— Celowo nadużyłem ich zaufania. Tak się to określa.

— W jaki sposób?

— Ostatniej jesieni wysłali mnie za granicę, żebym zebrał materiał do cyklu artykułów. Miały pokazać życie człowieka, jego drogę do sukcesu i bogactwa. Chodziło o znanego w całym świecie artystę telewizyjnego, jednego z tych, którymi karmi się ludzi na okrągło. Właśnie tym się zajmowałem przez wszystkie lata: pisałem upiększone laurki o moich bohaterach, znanych osobach. Jednakże po raz pierwszy miałem wtedy pojechać do innego kraju. — Uśmiechnął się blado i zaczął bębnić palcami po stole. — Tamten człowiek urodził się w państwie socjalistycznym, jednym z tych, którym nikt nie poświęca uwagi. Nie wiem nawet, czy nasz rząd to państwo uznał. — Mężczyzna spojrzał na Jensena badawczym wzrokiem. — Czy pan wie, co wtedy zrobiłem? Wykorzystałem serię artykułów, żeby zrobić szczegółową i dogłębną, a zarazem pozytywną analizę polityki i kultury tego państwa, następnie zaś porównałem wyniki z osiągnięciami w tym zakresie w naszym kraju. Tekst nie został oczywiście opublikowany, zresztą nawet na to nie liczyłem. — Zrobił krótką przerwę i zmarszczył brwi. Potem kontynuował: — Najśmieszniejsze jest to, że do dzisiaj nie wiem, po co to zrobiłem.

— Z przekory?

— Możliwe. Przez całe lata nie rozmawiałem z nikim o tych sprawach. Nie wiem też, dlaczego robię to teraz. Nie sądzę nawet, że się nad tym wszystkim zastanawiałem. Już po kilku tygodniach pracy w nowym wydawnictwie straciłem zapał. Potem tylko siedziałem i pisałem, co kazali, strona za stroną. Na początku trochę się ze mną patyczkowali, chyba bardziej niż na to zasługiwałem. Później najwidoczniej uznali, że nie jestem taki niebezpieczny i że mogę stać się pożytecznym trybem w ich wielkiej maszynerii. Po tym, co się wydarzyło, zapowiedzieli, że przeniosą mnie do działu specjalnego. Pewnie pan o nim nie wie?

— Słyszałem co nieco.

— Nazywają go także działem trzydziestym pierwszym. Uważają go za jeden z najważniejszych działów w wydawnictwie. Rzadko się o nim mówi, a to, czym się zajmuje, otacza mgła tajemnicy. Sądzę, że robią tam jakieś duże projekty. O tym, że mnie tam przeniosą, wspomnieli tylko raz, bo później chyba zrozumieli, że nadaję się tylko do produkowania gładkich, miłych biografii znanych ludzi. I mieli rację. — Zaczął bębnić palcami po filiżance. — I nagle zrobiłem im taki numer. Boże, ależ mieli zdziwione gęby.

Jensen skinął głową.

— Widzi pan, sam czułem, że nigdy już nic nie napiszę. I dlatego nie mogłem się pogodzić z myślą, że ostatnią rzeczą, jaką stworzę, będzie nieprawdziwa, podkolorowana historia o jakimś głupku, wyidealizowany obraz drania, który zarabia miliony na tym, że okropnie wygląda i nie umie śpiewać, jeździ po świecie i wywołuje skandale w burdelach dla homoseksualistów.

— I to był ostatni tekst, jaki pan napisał?

— Tak, potem dałem sobie spokój. Już wcześniej wiedziałem, że nigdy więcej nic dobrego nie napiszę. Tamci od razu się do mnie dobrali. Teraz będę musiał sobie znaleźć jakąś robotę. Jakąkolwiek. Pewnie nie będzie łatwo, bo my, dziennikarze, nie umiemy właściwie nic innego robić. Ale chyba sobie poradzę, bo w dzisiejszych czasach nie trzeba nic umieć, żeby znaleźć pracę.

— Z czego pan żyje?

— Wydawnictwo zachowało się wobec mnie bardzo elegancko. Powiedzieli mi, że wiedzą, że jestem skończony, dali mi czteromiesięczną odprawę i zwolnili mnie z dnia na dzień.

— Oprócz pieniędzy dostał pan też dyplom?

— Tak, jak na ironię. Skąd pan wie? — spytał zdumiony mężczyzna.

— Gdzie on teraz jest?

— W ogóle go nie ma. Chciałbym powiedzieć, że podarłem go na strzępy i wyrzuciłem z trzydziestego piętra, ale po prostu go wyrzuciłem, gdy stamtąd wychodziłem.

— Czy najpierw go pan zmiął?

— Tak, bo inaczej nie zmieściłby się w koszu na śmieci. Z tego, co pamiętam, dyplom był dość duży. Dlaczego to pana interesuje?

Jensen przeszedł jednak do kolejnych pytań.

— Czy mieszka pan tu na stałe?

— Jak już wspomniałem, mieszkam tu od czasu, gdy ten budynek został zbudowany. Zamierzam tu zostać dopóty, dopóki będzie prąd i bieżąca woda. W pewnym sensie jest teraz lepiej niż przedtem. Nie mam sąsiadów i nikt nie hałasuje.

— Dlaczego tamten dział nazywa się trzydziesty pierwszy?

— Mieści się na trzydziestym pierwszym piętrze.

— Istnieje takie piętro?

— Tak, na strychu, między redakcją komiksów i tarasem na dachu. Windy tam nie dochodzą.

— Czy pan tam był?

— Nie, nigdy. Większość pracowników koncernu nawet nie wie, że taki dział istnieje.

Zanim się pożegnali, mężczyzna dodał jeszcze:

— Przepraszam, że mówiłem tak nieskładnie. Większość z tego, co powiedziałem, na pewno wydała się panu naiwna i niezrozumiała, uproszczona i skrótowa. Sam pan jednak nalegał... — Po chwili zapytał: — À propos, czy jestem o coś podejrzany?

Jednakże Jensen był już na schodach i dlatego nie odpowiedział.

Mężczyzna stał w drzwiach i nie sprawiał wrażenia zaniepokojonego. Miał raczej obojętny wyraz twarzy i wyglądał na bardzo zmęczonego.

19

Jensen przez kilka minut siedział w samochodzie i przeglądał notatki. Potem przewrócił kartkę i napisał: „Numer 3, kobieta, były redaktor naczelny, 48 lat, panna, odeszła z firmy na własne żądanie, z pełnym uposażeniem".

Słońce świeciło białym, bezlitosnym blaskiem. Była sobota, za minutę dwunasta. Jensenowi zostało jeszcze trzydzieści sześć godzin. Przekręcił kluczyk w stacyjce i ruszył.

Wyłączył krótkofalówkę i chociaż miał przejechać przez centrum miasta, nawet nie pomyślał o tym, żeby zajechać na szesnasty komisariat.

Zatrzymał się za to przy jakimś fast foodzie, gdzie długo zastanawiał się nad wyborem jednego z trzech „zestawów dnia". Menu opracował wydział specjalny Ministerstwa Zdrowia. Posiłki przygotowywał centralnie duży koncern spożywczy i dlatego te same zestawy serwowano we wszystkich takich miejscach. Jensen długo stał przed elektrycznym wyświetlaczem z menu, aż w końcu ludzie w kolejce zaczęli wyrażać niezadowolenie.

Wcisnął więc jeden z przycisków, odebrał tacę z wybranym zestawem i usiadł przy stoliku.

Siedział w milczeniu i spoglądał na danie: mleko, sok marchewkowy, klops, kilka małych cząstek kalafiora i dwa rozgotowane ziemniaki.

Jensen był bardzo głodny, ale niezbyt ufał funkcjom swego organizmu. Po chwili odkroił kawałek mięsa i długo je przeżuwał, wypił sok marchewkowy, a gdy zjadł, wstał i wyszedł.

Kolejny adres znajdował się we wschodniej części miasta, niedaleko od centrum. Mieszkali tam głównie nowobogaccy, którzy nagle doszli do dużego majątku. Budynek był nowy i odbiegał swym wyglądem od standardowych wzorców. Należał do koncernu i oprócz pokojów gościnnych i sal konferencyjnych znajdowało się w nim także duże studio z tarasem i oknami sufitowymi.

Kobieta, która otworzyła drzwi, była niskiego wzrostu i dość otyła. Miała fantazyjnie upięte blond włosy, a makijaż na twarzy błyszczał od różu jak w kolorowych reklamach. Kobieta była ubrana w szlafrok w różowym i jasnoniebieskim kolorze uszyty z jakiegoś lekkiego i cienkiego materiału. Na stopach miała czerwone pantofle na wysokich obcasach, wyszywane złotą nicią, z dziwnymi, wielokolorowymi pomponikami.

Jensen przypomniał sobie, że widział już podobny zestaw na rozkładówce jednego z ponad stu czterdziestu czasopism.

— O, facet — powiedziała kobieta, chichocząc.

— Nazywam się Jensen, jestem komisarzem policji z szesnastego komisariatu. Prowadzę dochodzenie w sprawie firmy, w której była pani wcześniej zatrudniona — powiedział bezbarwnym głosem Jensen, okazując swoją legitymację służbową.

Jednocześnie zajrzał dyskretnie w głąb mieszkania.

Pokój był duży i przestronny, a stojące w nim meble wyglądały na drogie. W tle widać było roślinne pnącza na kratownicy, pastelowe zasłony i niskie meble z jasnego drewna. Całe mieszkanie przypominało powiększony domek dla lalek, jakim bawią się córki amerykańskich milionerów. Wyglądało tak, jakby ktoś dosłownie przeniósł go w to miejsce z jakichś targów handlowych.

Na kanapie siedziała jeszcze jedna kobieta. Miała ciemne włosy i wyglądała na znacznie młodszą od pierwszej. Na stoliku stała butelka sherry, kieliszek i figurka przypominająca egzotycznego kota.

Kobieta w szlafroku weszła do pokoju.

— Ależ to podniecające — powiedziała. — Pan detektyw.

Jensen ruszył za nią.

— Tak, kochanie, to prawdziwy detektyw z jakiegoś specjalnego biura czy dzielnicy, jakoś się to teraz nazywa. Dokładnie jak w którymś z naszych reportaży. — Kobieta odwróciła się w stronę Jensena i powiedziała: — Niechże pan siada. I proszę się czuć jak u siebie w domu. Czy napije się pan może szklaneczkę sherry?

Jensen pokręcił odmownie głową i usiadł.

— Przepraszam, ale zapomniałam, że nie jestem sama. To jedna z moich drogich współpracowniczek. Jedna z tych, którzy przejęli ster, kiedy zeszłam na ląd. Druga kobieta spojrzała na Jensena przelotnie wzrokiem pozbawionym zainteresowania. Uśmiechnęła się uprzejmie i uniżenie do kobiety w szlafroku, mrugając łobuzersko. Gospodyni opadła na kanapę, przechyliła głowę na bok i popatrzyła na Jensena tak, jakby była małą dziewczynką. Nagle spytała krótko, rzeczowym tonem:

— Czym mogę panu służyć?

Jensen wyjął notes i długopis.

— Kiedy przestała pani tam pracować?

— Na przełomie roku. I proszę nie używać słowa „pracować". Dziennikarstwo to powołanie, tak samo jak bycie lekarzem albo księdzem. Ani przez chwilę nie wolno nam zapominać, że czytelnicy to nasi bliźni, a nawet duchowi pacjenci. My, dziennikarze, prowadzimy intensywny tryb życia zgodnie z rytmem wyznaczanym przez gazety, całkowicie oddajemy się naszym czytelnikom. Inaczej się nie da.

Młodsza z kobiet spuściła wzrok i zagryzła dolną wargę. Jensen zauważył, że drżą jej kąciki ust, jakby powstrzymywała się od śmiechu.

— Dlaczego pani odeszła? — spytał.

— Pożegnałam się z wydawnictwem, bo uznałam, że spełniłam się w mojej karierze. Osiągnęłam cel. Przez dwadzieścia lat prowadziłam pismo od zwycięstwa do zwycięstwa. Nie przesadzę, jeśli powiem, że stworzyłam je własnymi rękami. Kiedy je przejmowałam, było niczym, dosłownie niczym. W krótkim czasie zamieniłam je w najpopularniejszy magazyn kobiecy. Niedługo potem stało się najważniejsze wśród wszystkich czasopism. Wciąż zajmuje tę pozycję. — Spojrzała na swoją ciemnowłosą koleżankę i dodała: — Jak to zrobiłam? Dzięki pracy i całkowitemu poświęceniu. Trzeba żyć w poczuciu misji, myśleć obrazami i nagłówkami, reagować wszystkimi zmysłami na oczekiwania czytelników, na... — Przerwała na chwilę, żeby się nad czymś zastanowić. — Aby tego dokonać, trzeba mieć coś, co nazywa się *feeling*. Trzeba też umieć przekazać to coś swoim współpracownikom. Niewielu otrzymało taki dar. Czasem trzeba być twardym dla siebie, żeby móc dać coś innym — Kobieta zamknęła oczy i kontynuowała miękkim głosem: — Wszystko to należy czynić, mając przed oczami jeden jedyny cel: czasopismo i jego czytelników.

— To właściwie dwa cele — sprostował Jensen.

Młoda kobieta rzuciła mu szybkie, przerażone spojrzenie. Kobieta w szlafroku nie zareagowała na jego słowa.

— Rozumiem, że pan wie, jak zostałam redaktorem naczelnym?

— Nie.

Kobieta znowu zaczęła opowiadać marzycielskim tonem:

— Brzmi to prawie jak bajka. Dla mnie jest niczym powieść z obrazkami o czymś, co pochodzi z innej rzeczywistości. Doszło do tego w następujący sposób... —

Po raz kolejny zmieniła głos i wyraz twarzy. — Wywodzę się z prostej rodziny i wcale się tego nie wstydzę — zaczęła agresywnie. Kąciki ust jej opadły, twarz przybrała zarozumiały wyraz.

— Aha — skomentował Jensen.

Kobieta obrzuciła swego gościa szybkim, taksującym spojrzeniem i rzeczowym tonem podjęła opowieść:

— Prezes koncernu to geniusz. Po prostu geniusz. Wielki człowiek, powiedziałabym nawet, że jest kimś większym niż Demokratus.

— Demokratus?

Przez chwilę kobieta milczała, kręcąc głową.

— Ach, te imiona i nazwiska, chodziło mi oczywiście o kogoś innego. Niełatwo to wszystko zapamiętać.

Jensen skinął głową.

— Prezes przeniósł mnie na to stanowisko z bardziej podrzędnej funkcji, jaką przedtem pełniłam, i postawił mnie na czele pisma. Była to szaleńcza, wprost bezczelna decyzja. No bo proszę sobie wyobrazić: młoda dziewczyna na czele tak wielkiej redakcji. Ale ta redakcja potrzebowała świeżej krwi. W ciągu trzech miesięcy zrobiłam tam porządki, pozbyłam się wszystkich nieudaczników, a w ciągu pół roku zrobiłam z tego pisma najbardziej ulubione czasopismo kobiet. Do dziś nim pozostaje. — Kolejny raz zmieniła ton i zwracając się do swojej ciemnowłosej przyjaciółki, powiedziała: — Nigdy nie zapominaj, że ośmiostronicowy horoskop, fotografie z te-

lenowel i felietony z życia codziennego o matkach wiel-
kich postaci to moje pomysły. To wszystko wciąż przynosi
wam duże zyski. No i kolorowy dodatek na temat zwie-
rząt. — Wykonała jakby obronny gest upierścienionymi
dłońmi i dodała: — Nie mówię tego wszystkiego, żeby
się chwalić albo słuchać komplementów. Ja już otrzyma-
łam swoją nagrodę w postaci setek tysięcy ciepłych listów
od moich wdzięcznych czytelników. — Przez chwilę
siedziała cicho, z uniesioną dłonią i głową przechyloną
w drugą stronę, jakby zwracała wzrok ku horyzontowi. —
Proszę mnie nie pytać, jak się osiąga taki sukces — kontynuowała skromnym głosem. — To trzeba po prostu
czuć. To takie samo uczucie jak to, którego każda kobieta
doświadcza przynajmniej raz w życiu, gdy chce, aby ktoś
spojrzał na nią z pożądaniem...

Ciemnowłosa wydała z siebie nagle jakiś dźwięk przy-
pominający bulgotanie. Kobieta w szlafroku drgnęła
i spojrzała na nią z nieukrywaną niechęcią.

— To właśnie w naszych czasach kobiety miały jeszcze
trochę ikry w majtkach — powiedziała twardym, pełnym
potępienia tonem.

Twarz jej się skurczyła, a wokół oczu i ust pojawiła
się siateczka zmarszczek. Poirytowana zaczęła gryźć
paznokieć lewego kciuka. Był długi, spiczasty i pokryty
srebrnym lakierem.

— Czy w ostatnim dniu pracy otrzymała pani specjalny
dyplom? — spytał Jensen.

— Oczywiście. Boże, to było takie miłe — oznajmiła. Na jej twarzy znowu pojawił się uśmiech nastolatki, oczy zaczęły błyszczeć. — Chce go pan zobaczyć?

— Tak.

Kobieta wstała z gracją i odpłynęła do innego pokoju. Ciemnowłosa spoglądała na Jensena spanikowanym wzrokiem.

Po chwili kobieta w szlafroku wróciła z dyplomem. Mocno przyciskała go do piersi.

— Proszę sobie wyobrazić, że podpisały się na nim wszystkie ważne osoby. Nawet prawdziwa księżniczka. — Otworzyła dyplom i Jensen ujrzał, że na jego lewej stronie znajduje się mnóstwo podpisów. — Myślę, że był to najwspanialszy gest. A przecież w czasie całej mojej pracy dostałam setki innych prezentów. Od wielu różnych osób i firm. Chce je pan obejrzeć?

— To nie jest konieczne — odparł Jensen.

Uśmiechnęła się nieśmiało, jakby lekko zakłopotana.

— Co pana do mnie sprowadza, panie komisarzu? Dlaczego pan mnie wypytuje o takie rzeczy?

— Nie mogę o tym mówić — odparł Jensen.

Przez ułamek sekundy z oczu kobiety wyzierały różne uczucia. W końcu rozłożyła ramiona w geście całkowitej bezradności i powiedziała uniżonym tonem:

— No cóż, w takim razie będę musiała się z tym pogodzić...

Jensen wyszedł z mieszkania i zjeżdżał windą w towarzystwie ciemnowłosej kobiety. Ledwo winda ruszyła, kobieta powiedziała zakatarzonym głosem:

— Niech pan nie wierzy w ani jedno jej słowo. Ona jest straszna, okropna, to potwór. Na jej temat krążą najdziwniejsze historie.

— Rozumiem.

— To prawdziwy potwór, jest złośliwa i wszędzie wtyka nos. Wciąż pociąga za wszystkie sznurki, chociaż udało im się wywalić ją z redakcji. A teraz zmusza mnie, żebym dla niej szpiegowała. W każdą środę i sobotę muszę do niej przychodzić i zdawać dokładny raport. Chce wiedzieć o wszystkim.

— Dlaczego to robi?

— Mój Boże, jak to: dlaczego? Mogłaby mnie zgnieść w ciągu dziesięciu minut, tak jak ktoś zgniata pchłę. Nie zawahałaby się nawet na chwilę. Na dodatek cały czas mnie obraża. Boże!

Jensen nie odpowiedział. Kiedy winda zatrzymała się na parterze, zdjął kapelusz i otworzył drzwi. Kobieta spojrzała na niego ukradkiem i prawie wybiegła na ulicę.

Ruch znacznie zmalał. To przecież sobota, za pięć czwarta. Jensen znowu poczuł ból w prawej części przepony.

20

Jensen złożył gazetę i siedział z notatnikiem opartym na kierownicy. Tym razem zapisał: „Numer 4, dyrektor artystyczny, panna, 20 lat; odeszła na własne żądanie".

Budynek znajdował się po drugiej stronie ulicy. Nie był nowy, ale za to bardzo dobrze utrzymany. Jensen na parterze znalazł właściwe drzwi. Nacisnął dzwonek, ale nikt nie otwierał. Zadzwonił jeszcze kilka razy, a potem długo i mocno dobijał się do drzwi. W końcu nacisnął klamkę. Mieszkanie było zamknięte na klucz. Ze środka nie dochodził żaden dźwięk. Jensen stał jeszcze przez kilka minut. Usłyszał, że w pobliżu dzwoni telefon. Wrócił do samochodu, przerzucił pięć pustych kartek w notesie i napisał: „Numer 5, mężczyzna, 52 lata, dziennikarz, kawaler, odszedł po wygaśnięciu umowy o pracę, zgodnie z terminem".

Tym razem Jensenowi lepiej się powiodło. Podany adres znajdował się w tej samej dzielnicy. Wystarczyło minąć pięć przecznic.

Dom przypominał ten, który odwiedził dziesięć minut wcześniej. Był to podłużny, żółty, pięciopiętrowy budynek ustawiony pod kątem ostrym do ulicy. Cała dzielnica była zabudowana podobnymi segmentami.

Tabliczka na drzwiach składała się z liter wyciętych z gazety przyklejonych taśmą klejącą. Część z nich była uszkodzona albo po prostu odpadła, przez co nazwisko stało się nieczytelne. Dzwonek działał, ale chociaż Jensen naciskał go kilka razy, dopiero po dwóch minutach ktoś mu otworzył.

Mężczyzna wyglądał na starszego, niż Jensen się spodziewał. Poza tym sprawiał wrażenie zaniedbanego. Miał zmierzwione włosy i taką samą brodę. Na pewno od dawna nie był u fryzjera. Miał na sobie brudną żółto-białą koszulę, znoszone spodnie i zniszczone czarne buty. Jensen zmarszczył brwi. Widok mężczyzny zdziwił go, bo w obecnych czasach rzadko się zdarzało, żeby ktoś uż tak o siebie nie dbał.

— Nazywam się Jensen, jestem komisarzem policji w szesnastej dzielnicy. Prowadzę dochodzenie, które dotyczy pańskiej dawnej firmy.

Jensen nie pofatygował się nawet, żeby wyjąć swoją odznakę.

— Czy może się pan wylegitymować? — spytał natychmiast mężczyzna.

Jensen pokazał mu odznakę.

— Proszę wejść — rzucił mężczyzna.

Zachowywał się z dużą pewnością siebie, w bardzo przesadny sposób.

W mieszkaniu panował zadziwiający bałagan. Na podłodze walały się papiery, gazety, książki, stare pomarańcze, torby pełne śmieci, brudna odzież i niemyte naczynia. Całe umeblowanie stanowiło kilka żeberkowych krzeseł, dwa zużyte fotele, chwiejący się stolik i niepościelona kanapa. Jedna połowa stolika była wysprzątana, stała na niej maszyna do pisania. Obok niej leżał stos zapisanych kartek. Wszystko pokrywała gruba warstwa kurzu. W pokoju unosił się zapach stęchlizny. Poza tym Jensen wyczuł wódkę. Mężczyzna uprzątnął za pomocą zwiniętej gazety drugą połowę stołu. Stos papierów, naczyń i odpadków znalazł się na podłodze.

— Proszę siadać — powiedział, podsuwając Jensenowi krzesło.

— Pan jest pijany — oświadczył Jensen.

— Nie pijany, tylko pod wpływem alkoholu. Nigdy nie jestem pijany, zazwyczaj bywam pod wpływem alkoholu. Różnica jest znaczna.

Jensen usiadł. Brodaty mężczyzna stanął na ukos do niego.

— Jest pan dobrym obserwatorem, bo inaczej by pan tego nie zauważył. Większość ludzi tego nie zauważa.

— Kiedy przestał pan pracować w swojej ostatniej firmie?

— Przed dwoma miesiącami. Dlaczego pan pyta?

Jensen rozłożył na stoliku notes i zaczął przerzucać kartki. Kiedy natrafił na stronę z numerem trzecim, mężczyzna, który stał teraz za jego plecami, powiedział:

— Jak widzę, znalazłem się w dobrym towarzystwie.

Jensen w dalszym ciągu przerzucał kartki.

— Dziwię się, że wyszedł pan od tej diablicy i nie stracił rozumu — rzekł mężczyzna, obchodząc stół dokoła. — Czy był pan u niej w domu? Ja bym się na to nigdy nie odważył.

— Zna ją pan?

— No pewnie. Pracowałem w redakcji, gdy się zjawiła. To znaczy gdy została redaktorem naczelnym. Udało mi się przetrwać cały rok.

— Przetrwać?

— W tamtych czasach byłem oczywiście młodszy i silniejszy.

Mężczyzna usiadł na kanapie, wsunął dłoń w skotłowaną pościel i wyjął spod niej butelkę.

— Ponieważ pan zauważył, że dziś piłem, więc nie ma to już znaczenia. Poza tym ja się nigdy nie upijam, robię się tylko trochę bardziej ostry.

Jensen spoglądał na niego uporczywie. Mężczyzna pociągnął kilka razy z butelki i odstawił ją.

— Czego pan tu szuka? — zapytał.

— Potrzebuję pewnych wyjaśnień.

— W sprawie czego?

Jensen nie odpowiedział.

— Jeśli chce się pan czegoś dowiedzieć o tej diablicy, trafił pan pod właściwy adres. Niewiele osób poznało ją lepiej ode mnie. Mógłbym napisać jej biografię.

Mężczyzna umilkł, ale nie wyglądał tak, jakby czekał na odpowiedź Jensena. Spojrzał na niego spod zmrużonych powiek, a potem przeniósł wzrok na okna, które były prawie całkowicie pokryte brudem. Chociaż wypił już sporo alkoholu, miał czujny wzrok i widać było, że żaden szczegół nie uchodzi jego uwagi.

— Czy pan wie, w jakich okolicznościach stanęła na czele redakcji największego pisma? — spytał mężczyzna.

Jensen nie odpowiedział.

— Szkoda — kontynuował mężczyzna w zamyśleniu. — Zbyt mało osób o tym wie. A przecież to jeden z najważniejszych punktów zwrotnych w historii prasy.

Przez chwilę w pokoju panowała cisza. Jensen wciąż spoglądał na mężczyznę tym samym wzrokiem co na początku i przerzucał w palcach plastikowy długopis.

— Czy pan wie, kim była z zawodu, zanim awansowała na nowe stanowisko? — spytał mężczyzna ze złośliwym uśmiechem. — Sprzątaczką. A czy pan wie, gdzie sprzątała?

Jensen narysował na pustej stronie notatnika niewielką pięcioramienną gwiazdę.

— W najświętszym miejscu całego koncernu. Na poziomie, gdzie swoje biura ma kierownictwo. Nie wiem, jak jej się udało tam trafić, ale na pewno nie przez przypadek. — Mężczyzna pochylił się i sięgnął po butelkę. — Ona zawsze umiała załatwić większość spraw. To była fajna babka, cholernie fajna. Tak przynajmniej wszyscy myśleliśmy. Wystarczyło jednak pięć minut, żeby zmienić zdanie. — Pociągnął łyk z butelki. — W tamtym czasie wszystkie pomieszczenia zaczynano sprzątać po zakończeniu przez wszystkich pracy. O szóstej przychodziły sprzątaczki. Z wyjątkiem jej. Ona zjawiała się godzinę wcześniej, kiedy prezes był w swoim gabinecie. Miał taki zwyczaj, że z wybiciem piątej wypędzał pracowników sekretariatu do domu. Potem siedział jeszcze przez chwilę i zajmował się sprawami, których nie chciał załatwiać w obecności innych pracowników. Nie wiem, jakie to były sprawy, ale mogę sobie wyobrazić.

Mężczyzna spojrzał w okno. W pokoju zrobiło się ciemno. Jensen zerknął na zegarek. Kwadrans po szóstej.

— Dokładnie kwadrans po piątej otwierała drzwi do jego pokoju, zaglądała do środka, mówiła „przepraszam" i zamykała drzwi. Kiedy prezes wychodził do domu albo szedł do toalety lub w inne miejsce, za każdym razem widział, jak ta diablica znika za rogiem.

Jensen otworzył usta, żeby coś powiedzieć, ale w ostatniej chwili zrezygnował.

— Szczególnie ładnie prezentowała się od tyłu. Bardzo dokładnie pamiętam, jak wtedy wyglądała. Nosiła jasno-niebieską spódnicę i białe drewniaki, a na głowie zawiązywała białą chustkę. Poza tym zawsze miała gołe nogi. Prawdopodobnie nasłuchała się różnych historii, na przykład o tym, że prezes nie potrafi się opanować, kiedy widzi parę gołych nóg. — Mężczyzna wstał z kanapy, zrobił kilka kroków i zapalił światło. — Dość szybko prezes zaczął się na nią natykać. Wszyscy wiedzieli, że jest czuły na tym punkcie. Podobno zawsze zaczynał od tego, że się przedstawiał. Wie pan, co się potem stało?

Żarówka wisząca pod sufitem była pokryta grubą warstwą kurzu i dlatego świeciła słabym blaskiem.

— Nie odpowiedziała mu, gdy się do niej zwrócił, tylko wybąkała coś nieśmiało i spojrzała na niego wzrokiem niewinnej sarny.

Jensen narysował kolejną gwiazdę sześcioramienną.

— Stała się jego idée fixe. Zaczął wyrabiać różne rzeczy. Próbował zdobyć jej adres, ale bez powodzenia. Bóg jeden wie, gdzie się ukrywała. Podobno wysyłał ludzi, żeby ją śledzili, ale za każdym razem umiała ich zmylić. Potem zaczęła przychodzić kwadrans później. On ciągle tam był. No to zaczęła się zjawiać jeszcze później, a on zazwyczaj siedział w swoim pokoju i udawał, że się czymś zajmuje. W końcu...

Mężczyzna zamilkł. Jensen odczekał pół minuty, potem uniósł wzrok i spojrzał beznamiętnie na swego rozmówcę.

— Prezes prawie odchodził od zmysłów. Któregoś wieczoru przyszła dopiero o wpół do dziewiątej, gdy wszystkie inne sprzątaczki poszły już do domu. W jego pokoju światło było zgaszone, ale wiedziała, że tam jest, bo zauważyła wierzchnię ubranie na wieszaku. Przeszła się więc kilka razy korytarzem, trzaskając drewniakami o podłogę. W końcu wzięła swoje pieprzone wiadro, weszła do pokoju i zamknęła za sobą drzwi. — Mężczyzna zarechotał cicho. — Co za cudowna historia — powiedział. — Prezes stał za drzwiami ubrany w siatkowany podkoszulek, a gdy ją ujrzał, w jednej chwili rzucił się na nią z krzykiem. Zdarł z niej ubranie, przewrócił wiadro, ją też przewrócił na podłogę i usiadł na niej. Uderzył ją, a ona zaczęła krzyczeć. I wtedy... — Mężczyzna przerwał i spojrzał triumfującym wzrokiem na Jensena. — I jak pan myśli, co się wtedy wydarzyło?

Jensen spoglądał na podłogę, jakby czegoś szukał. Trudno było określić, czy słucha.

— W tym momencie do pokoju wszedł nocny strażnik z pękiem kluczy na pasku. W ręce trzymał zapaloną latarkę. Kiedy zobaczył, co się dzieje, śmiertelnie się przeraził. Zatrzasnął za sobą drzwi i pobiegł korytarzem, a prezes za nim. Strażnik wpadł do windy i gdy drzwi się zamykały, do windy zdążył jeszcze wpaść prezes. Bał się, że strażnik podniesie alarm, ale ten biedak był śmiertelnie przerażony, że straci pracę. Nasza diablica wszystko sobie oczywiście dokładnie wykoncypowała.

Wiedziała, kiedy strażnik robi obchód, więc wystarczyło tylko spojrzeć na zegarek. — Mężczyzna prawie się dusił od tłumionego śmiechu. — Niech pan to sobie wyobrazi: prezes koncernu stoi w windzie, ma na sobie tylko podkoszulek, obok niego stoi sparaliżowany strachem strażnik w mundurze i czapce na głowie, z pałką i latarką w rękach i wielkim pękiem kluczy u pasa. Winda zjeżdżała do magazynu papieru, aż w końcu któryś z nich wpadł na pomysł, żeby nacisnąć „stop", zawrócić windę i wjechać z powrotem na górę. A kiedy już się tam znaleźli, strażnik nie był już strażnikiem, tylko administratorem całego budynku. Został nim, chociaż o całej tej historii nie odważył się pisnąć nawet słowa. — Mężczyzna umilkł. Oczy przestały mu błyszczeć. W końcu dodał zrezygnowanym tonem: — Poprzedni administrator został wyrzucony pod pretekstem zatrudniania nieodpowiedniego personelu. A potem zaczęły się negocjacje dotyczące umów o pracę. Ta diablica świetnie zadbała o swoje sprawy, bo tydzień później ukazał się wewnętrzny biuletyn z informacją, że nasz dotychczasowy szef został zwolniony. Kwadrans później do redakcji wkroczyła diablica i rozpętało się piekło. — Mężczyzna jakby przypomniał sobie nagle o istnieniu butelki. Sięgnął po nią i wypił łyk alkoholu. — Wie pan, to pismo było całkiem niezłe, ale źle się sprzedawało. Chociaż pisaliśmy o księżniczkach i o pieczeniu ciastek, pojawiły się opinie, że wykracza swą treścią poza horyzonty naszych czytelników. Zaczęto też przebąkiwać, że należałoby je zamknąć. Ale... — Mężczyzna spojrzał uważnie na Jensena, jakby chciał nawiązać z nim kontakt. Jednakże Jensen unikał jego wzroku. — To, co zaczęła potem wyczyniać, śmiało można nazwać nocą kryształową. Praktycznie rzecz biorąc, cały personel został wyrzucony, a na miejsce zwolnionych pracowników przyszli sami idioci. Na przykład na stanowisku sekretarza redakcji pracowała była fryzjerka, która nie wiedziała, czym jest dwukropek. Kiedy zobaczyła jedną z maszyn do pisania, przyszła do mnie, żeby spytać, co to za urządzenie. A ja się tak bardzo bałem, żeby nie stracić pracy, że nie miałem odwagi jej tego wyjaśnić. Pamiętam, co jej wtedy powiedziałem: że to jeden z tych modnych wynalazków. — Mężczyzna znowu przerwał i przez chwilę przeżuwał coś w ustach. — To babsko, czyli diablica, nienawidziło wszystkiego, co miało jakikolwiek związek z inteligencją. Za to kiedy ona coś mówiła, uważała, że to szczyt mądrości. Na przykład wtedy, gdy ktoś napisał kilka składnych zdań. Mnie się udało przetrwać tam tylko dlatego, że w jej oczach nie przypominałem „innych". Poza tym uważałem na każde wypowiadane słowo. Przypominam sobie, że pewien redaktor, żeby wkupić się w jej łaski, był na tyle głupi, że opowiedział jakąś historię na temat jednego z poprzednich szefów. Jest to wydarzenie autentyczne, a przy tym naprawdę zabawne. Chodziło o to, że jakiś facet z innego działu przyszedł do redakcji kulturalnej jednej z największych gazet i powiedział, że August Strindberg był cholernie dobrym pisarzem i że film pod tytułem *Panna Julia* świetnie by się sprzedał jako fotoreportaż, gdyby go tylko trochę przerobić, usunąć wszystko, co dotyczy różnic klasowych i co jest mało zrozumiałe. Szef działu kulturalnego przez chwilę się zastanawiał i w końcu spytał: „Jak się nazywał ten autor?". Na co ten, który wystąpił z tym pomysłem, odparł: „No chyba pan wie, August Strindberg". Na co szef działu: „Cholera, no jasne. Zadzwoń do niego i poproś, żeby do nas wpadł jutro o dwunastej. Zjemy razem lunch i pogadamy o honorarium". Dziennikarz skończył opowiadać swoją historię, a wtedy ta diablica spojrzała na niego chłodnym wzrokiem i powiedziała: „I co w tym śmiesznego?". W dwie godziny gość spakował swoje rzeczy i odszedł. — Mężczyzna znowu się roześmiał.

Jensen uniósł wzrok i przyglądał mu się z twarzą pozbawioną wyrazu.

— Ale najlepsze będzie dopiero teraz — podjął mężczyzna. — Mimo głupoty naszej diablicy udało się w ciągu pół roku podwoić nakład. Czasopismo zapełniły zdjęcia psów i dzieci, kotów i roślin doniczkowych. Pojawił się horoskop i frenologia, teksty o wróżeniu z fusów kawowych i podlewaniu pelargonii. Wszędzie było mnóstwo błędów gramatycznych, ale ludzie to kupowali. Wie pan, wszystko to, co można tam było nazwać tekstem, było tak przerażająco proste i naiwne, że mogło równać się z tym, co w gazetach piszą dzisiaj. Zabronili mi na przykład pisać „lokomotywa", tylko musiałem napisać, że to urządzenie z kołami, które porusza się po żelaznych torach i ciągnie za sobą wagony. Prezes uznał to za wielkie, rozstrzygające zwycięstwo. Wszyscy mówili, że jego odwaga i umiejętność przewidywania były jedyne w swoim rodzaju i że było to posunięcie, które nie tylko zrewolucjonizowało całe dziennikarstwo, ale także zmieniło reguły nowoczesnego wydawania prasy. — Mężczyzna znowu pociągnął łyk z butelki. — Było to perfekcyjne zagranie. Jedyną osobą, która mogła zakłócić ten radosny obraz, był nocny strażnik. Niesłychanie się chlubił swoim nowym stanowiskiem, tylko że po tym, co zyskał, nie potrafił utrzymać języka za zębami. Jednakże długo to nie trwało. Pół roku później zaklinował się w windzie okrężnej. Zatrzymała się między dwoma piętrami, a kiedy strażnik próbował się z niej wydostać, nagle ruszyła. Praktycznie rzecz biorąc, przepołowiła go w pasie. Uwzględniając jego głupotę, można powiedzieć, że sam się o to prosił.

Mężczyzna przyłożył dłoń do ust i długo kaszlał. Kiedy atak minął, kontynuował:

— Mijały lata, a ona coraz bardziej się nad nami

znęcała. Oczywiście udoskonaliła swoje metody i miała coraz większe pretensje. W piśmie pojawiało się coraz więcej fotografii przedstawiających złej jakości ubrania. Podobno brała łapówki od producentów. W końcu zarząd koncernu zdołał się jej pozbyć, ale słono musieli za to zapłacić. Mówi się, że prezes wyłożył ćwierć miliona w gotówce, bo tylko pod tym warunkiem zgodziła się przejść na wcześniejszą emeryturę.

— Dlaczego przestał pan tam pracować?

— Co to ma za znaczenie?

— Dlaczego przestał pan tam pracować?

Butelka była już pusta. Mężczyzna przeciągnął dłonią po włosach i odparł gwałtownym tonem:

— Wywalili mnie. Tak po prostu. Po tylu latach nie dali mi nawet odprawy, złamanego grosza.

— Co było przyczyną?

— Po prostu chcieli się mnie pozbyć. Pewnie nie byłem zbyt przystojny. Tak mi się wydaje. Nie byłem godnym ambasadorem naszej firmy. Poza tym jestem już wypalony, nie potrafię sklecić dwóch mądrych zdań. Wszyscy tak kończą.

— Czy to był bezpośredni powód?

— Nie.

— No to dlaczego pana tak naprawdę zwolniono?

— Piłem alkohol w pracy.

— I kazali panu odejść z dnia na dzień?

— Tak. Tak naprawdę nie mieli prawa mnie zwolnić. Ale moja umowa o pracę była sformułowana w taki sposób, że mogli mnie wywalić w dowolnym momencie.

— I nie protestował pan?

— Nie.

— Dlaczego?

— Bo to nie miałoby sensu. Zatrudnili nowego dyrektora do spraw personalnych, który wcześniej stał na czele związku zawodowego dziennikarzy i w dalszym ciągu nim kieruje. Zna wszystkie kruczki prawne, zwykły śmiertelnik nie ma przy nim szans. Jeśli ktoś chce się odwoływać, musi to robić nieoficjalnie, u niego. I wtedy to on o wszystkim decyduje. Sprytne, ale podobnie było ze wszystkim. Ich prawnicy, którzy specjalizują się w sprawach podatkowych, są jednocześnie zatrudnieni w Ministerstwie Finansów, a krytyka kierowana przeciwko tygodnikom pojawia się raz na pięć lat w którymś z dzienników. I to oni są jej autorami. I tak jest ze wszystkim.

— Czuł się pan zniesmaczony?

— Nie sądzę. Tamte czasy minęły. Kto czuje się dzisiaj zniesmaczony?

— Kiedy pan odchodził, wręczyli panu coś w rodzaju dyplomu pożegnalnego?

— Możliwe. Chodziło o to, żeby rozstać się w miłej atmosferze. Dyrektor do spraw personalnych jest specem od takich rzeczy. Uśmiecha się i jedną ręką częstuje kogoś cygarem, a jednocześnie drugą go dusi. Z wyglądu przypomina ropuchę.

Mężczyzna zaczął zdradzać objawy braku koncentracji.

— A więc dostał pan taki dyplom?

— Co to ma za znaczenie?

— Dostał go pan czy nie?

— Chyba tak.

— Wciąż go pan ma?

— Nie wiem.

— Proszę mi go pokazać.

— Nie chcę i nie mogę.

— Ma go pan tu, w mieszkaniu?

— Nie wiem. A nawet gdyby tu był, nie potrafiłbym go znaleźć. Czy w takim bajzlu pan by coś znalazł?

Jensen rozejrzał się po pokoju. Zamknął notes i wstał.

— Żegnam — powiedział.

— Nie wyjaśnił mi pan, po co przyszedł.

Jensen nie odpowiedział. Wziął kapelusz i wyszedł z mieszkania. Mężczyzna siedział w brudnej pościeli. Wydawał się szary, zmęczony i miał mętny wzrok.

Jensen włączył krótkofalówkę, wywołał wóz patrolowy i podał adres.

— Tak, nadużycie alkoholu, w mieszkaniu. Zawieźcie go na główny komisariat w szesnastej dzielnicy. Sprawa pilna.

Po drugiej stronie ulicy stała budka telefoniczna. Jensen wszedł do niej i zadzwonił do szefa wywiadowców.

— Przeszukanie mieszkania. Sprawa pilna. Wiecie, czego macie szukać.

— Tak, panie komisarzu.

— Potem wróćcie do komisariatu i czekajcie. Zatrzymajcie go do czasu, aż dostaniecie dalsze rozkazy.

— Pod jakim zarzutem?

— Obojętne.

— Zrozumiałem.

Jensen wrócił do samochodu. Kiedy ruszył, z przeciwka nadjechał policyjny wóz patrolowy.

21

Światło sączyło się przez szczelinę w drzwiach pełniącą funkcję skrzynki pocztowej. Jensen wyjął swój notes i po raz kolejny przeczytał to, co napisał wcześniej: „Numer 4, dyrektor artystyczny, panna 20 lat; odeszła na własne żądanie". Schował notes, wyjął odznakę służbową i nacisnął dzwonek.

— Słucham.

— Policja.

— Gadanie! Już raz wyjaśniałam, że to nie ma sensu. Nie chcę.

— Proszę otworzyć.

— Nigdy w życiu.

— Proszę otworzyć.

— Niech pan stąd odejdzie! Zostawcie mnie wreszcie w spokoju! Niech pan mu przekaże, że nie chcę!

Jensen uderzył dwa razy mocno w drzwi.

— Policja. Proszę otworzyć.

Kobieta otworzyła drzwi i spojrzała na niego sceptycznym wzrokiem.

— Nie — powiedziała. — To już za długo trwa, do cholery.

Jensen zrobił krok przez próg i pokazał odznakę służbową.

— Nazywam się Jensen. Jestem komisarzem policji w szesnastej dzielnicy. Prowadzę dochodzenie w sprawie pani poprzedniego miejsca pracy.

Kobieta spojrzała na odznakę i wycofała się w głąb mieszkania.

Wydawała się bardzo młoda, miała ciemne włosy, szare oczy, mocno zarysowane szczęki, długie nogi, wąską talię i szerokie biodra. Była ubrana w kraciastą koszulę, spodnie khaki i tenisówki. Kiedy się poruszała, widać było, że pod koszulą nie nosi bielizny. Włosy miała krótko ostrzyżone i nieuczesane. Prawdopodobnie nie używała kosmetyków.

W pewien sposób przypominała swym wyglądem kobiety z dawnych czasów. Jensen nie potrafił jednoznacznie określić jej spojrzenia. Czaiły się w nim złość, strach, desperacja i pewność siebie. Wszystkiego trochę.

Spodnie kobiety były zabrudzone farbą, w dłoni trzymała pędzelek. Na podłodze leżało kilka rozłożonych gazet. Stał na nich fotel bujany, który kobieta chyba malowała.

Jensen rozejrzał się po pokoju. Meble wyglądały tak,

jakby znalazł je gdzieś na wysypisku śmieci ktoś, kto lubi malować w żywych kolorach.

— Widzę, że pan nie kłamie — powiedziała kobieta. — W więc on nasłał na mnie policję. Tylko tego mi jeszcze brakowało. Dlatego od razu coś panu powiem. Nie przestraszy mnie pan. Może mnie pan zamknąć, jeśli znajdzie jakiś pretekst. Mam w kuchni butelkę wina, może wystarczy. Nie ma sprawy. Wszystko będzie lepsze od tego, przez co przechodzę teraz.

Jensen wyjął notes.

— Kiedy przestała pani tam pracować? — spytał.

— Dwa tygodnie temu. Po prostu już tam nie poszłam. Czy to niezgodne z prawem?

— Jak długo pracowała pani dla koncernu?

— Czternaście dni. Czy zamierza pan zadawać mi więcej takich niemądrych pytań, żeby mnie dobić? Już mówiłam, że to nie ma sensu.

— Dlaczego pani odeszła?

— O rany! A jak pan myśli? Po prostu nie byłam w stanie wytrzymać. Ciągle tam na mnie krzyczeli i śledzili każdy mój krok.

— Była pani dyrektorem artystycznym?

— Gdzie tam! Pracowałam jako zwykła asystentka w dziale projektowym. Nawet tego nie zdążyłam się do końca nauczyć, zanim zaczęło się całe to przedstawienie.

— Co to znaczy, że ktoś jest dyrektorem artystycznym?

— Nie wiem. Myślę, że taka osoba po prostu siedzi i odrysowuje litery i strony z zagranicznych gazet.

— Z jakiego powodu pani odeszła?

— O Boże! Czy oni rozkazują także policji? Nie może się pan nade mną zlitować? Niech pan przekaże swojemu zleceniodawcy, że na pewno istnieją odpowiednie kliniki i że jego miejsce jest w jednej z nich, a nie w moim łóżku.

— Dlaczego pani odeszła?

— Odeszłam, bo już nie mogłam wytrzymać. Tak trudno to panu zrozumieć? Facet wziął mnie na celownik już po dwóch dniach. Kiedyś pewien mój znajomy fotograf namówił mnie, żebym pozowała do zdjęcia dla jakiegoś projektu medycznego czy coś takiego. No i facet zobaczył to zdjęcie. Pojechałam z nim do jakiejś niewielkiej restauracji, jakbym nie miała własnej godności. Potem byłam jeszcze na tyle głupia, że go zaprosiłam do tego mieszkania. Następnego wieczoru zadzwonił... on do mnie...! Spytał, czy mam w domu butelkę wina. Kazałam mu spadać. I wtedy się zaczęło.

Kobieta stała przed Jensenem w szerokim rozkroku i patrzyła na niego.

— Co pan jeszcze chce wiedzieć? Że siedział tu na podłodze, bredził coś przez trzy godziny i trzymał mnie za stopę? I że dostał ode mnie kilka razy, gdy mu się w końcu wyrwałam i poszłam spać?

— Opowiada mi pani mnóstwo nieistotnych szczegółów.

Kobieta rzuciła pędzelek na podłogę obok krzesła. Rozpryskująca się farba zabrudziła jej buty.

— Tak, tak — odparła nerwowym głosem. — Rzeczywiście poszłam z nim do łóżka. Dlaczego nie? Czymś trzeba się przecież interesować. Chciało mi się spać, ale skąd mogłam wiedzieć, że facet oszaleje tylko dlatego, że się rozebrałam. Chyba pan rozumie, przez jakie piekło przechodziłam w tamtym okresie, dniem i nocą. Koniecznie chciał mnie przelecieć. Twierdził, że podoba mu się mój naturalny styl bycia, że wyśle mnie w podróż dookoła świata, że muszę mu pomóc znaleźć coś, co kiedyś stracił, i że mianuje mnie szefem Bóg wie czego. Mnie... szefem! A on na to: kochanie, nie musisz się na niczym znać. Co, nie jesteś zainteresowana? To nieważne, skarbie.

— Powtarzam: opowiada mi pani mnóstwo nieistotnych szczegółów.

Kobieta nabrała powietrza i spojrzała na komisarza, marszcząc czoło.

— Czy pan nie... czy to nie on pana wysłał?

— Nie. Kiedy pani odeszła, dali pani coś w rodzaju dyplomu pożegnalnego?

— Tak, ale...

— Proszę mi go pokazać.

Kobieta spojrzała na niego pytającym wzrokiem. Podeszła do niebieskiej szafki stojącej pod ścianą, wyciągnęła szufladę i wyjęła z niej dyplom.

— Nie jest aż tak bardzo ładny — powiedziała niepewnym głosem.

Jensen rozłożył dyplom. W tekst napisany złotymi literami ktoś powstawiał wykrzykniki. Na czołowej stronie znajdowały się obsceniczne komentarze napisane czerwonym długopisem.

— Nie powinnam tego robić, ale byłam cholernie wkurzona. Chciało mi się śmiać. Przez tamte czternaście dni pozwoliłam facetowi trzymać mnie przez trzy godziny za stopę, rozebrać się do naga i włożyć piżamę.

Jensen schował notes do kieszeni i pożegnał się.

— Do widzenia.

Kiedy przechodził przez próg i znalazł się na korytarzu, poczuł ból w okolicy prawej części przepony. Pojawił się nagle i w sposób gwałtowny. Pociemniało mu przed oczami, zrobił niepewnie jeszcze jeden krok i oparł się ramieniem o framugę drzwi.

Kobieta natychmiast do niego podeszła.

— Co się stało? Jest pan chory? Proszę wejść i posiedzieć przez chwilę. Pomogę panu.

Jensen poczuł dotyk jej ciała. Stała bardzo blisko niego i podtrzymywała go. Jensen czuł, jaka jest miękka i ciepła.

— Chwileczkę — powiedziała kobieta. — Przyniosę trochę wody.

Pobiegła do kuchnia i za chwilę wróciła.

— Proszę się napić. Czy mogę panu jakoś pomóc? Może pan chwilę odpocznie? Proszę mi wybaczyć, że tak się zachowuję. Sam pan chyba rozumie, że zaszło nieporozumienie. Jeden z tych na górze, który o wszystkim decyduje, nie powiem który, przez cały czas się do mnie dobierał...

Jensen się wyprostował. Odczuwał jeszcze ból, ale powoli się do niego przyzwyczajał.

— Przepraszam, ale nie bardzo wiedziałam, czego pan chce. Zresztą wciąż nie wiem. Cholera, zawsze coś jest nie tak. Czasem bardzo się boję, że coś jest ze mną nie w porządku, że jestem jakaś inna. A ja tylko chcę mieć jakieś zainteresowania, robić coś sama i sama o sobie decydować. W szkole też byłam inna i kiedy o coś pytałam, nikt mnie nie rozumiał. A ja po prostu byłam ciekawa. Jestem inna, różnię się od innych kobiet i zauważam to na każdym kroku. To prawda, inaczej wyglądam i nawet pachnę inaczej. Albo to ja jestem szalona, albo świat oszalał. Obie możliwości brzmią okropnie.

Ból zaczął powoli ustępować.

— Powinna pani na siebie bardzo uważać — przestrzegł Jensen. Włożył kapelusz i wrócił do samochodu.

22

Jadąc w stronę centrum, Jensen skontaktował się z oficerem dyżurnym komisariatu w szesnastej dzielnicy. Policjanci, którzy wyjechali na przeszukanie mieszkania, jeszcze nie wrócili. Jensen dowiedział się, że przez cały dzień szukał go komendant.

Kiedy wjechał do centrum, było już po jedenastej, natężenie ruchu spadło, a na chodnikach widać było nielicznych przechodniów. Ból w okolicy przepony całkowicie ustąpił i przeszedł w typowy, uporczywy ucisk. Jensen czuł suchość w ustach i jak zawsze, gdy atak mijał, chciało mu się pić. Zatrzymał się przy jednym z czynnych fast foodów, usiadł przy szklanym kontuarze i zamówił butelkę wody mineralnej. Lokal wprost lśnił od chromu i blasku luster na ścianach. Oprócz sześciu nastolatków w środku nie było nikogo. Siedzieli przy stoliku i w milczeniu gapili się przed siebie apatycznym wzrokiem. Barman ziewał, zajęty czytaniem jednej ze stu czterdziestu czterech publikacji koncernu. W trzech telewizorach leciał jakiś program rozrywkowy z dubbingiem przerywany sztucznymi salwami śmiechu.

Jensen pił powoli, małymi łykami. Czuł, jak napój wywołuje skurcze w pustym żołądku. Po chwili wstał i poszedł do toalety. Przy jednym z pisuarów, z jedną ręką w muszli, leżał na plecach elegancko ubrany mężczyzna w średnim wieku. Śmierdział alkoholem, a marynarkę i koszulę pokrywały wymiociny. Miał otwarte oczy, ale wzrok pusty i stężały.

Jensen wrócił do baru.

— W toalecie leży pijany mężczyzna — powiedział.

Barman wzruszył ramionami i znowu zagłębił się w lekturze.

Jensen wyjął legitymację służbową. Barman natychmiast odłożył pismo i podszedł do telefonu połączonego specjalną linią z policją. We wszystkich takich miejscach funkcjonowało bezpośrednie połączenie z oficerem dyżurnym najbliższej komendy.

Policjanci, którzy przyjechali po pijaka, wyglądali na niewyspanych i przemęczonych. Kiedy wynosili mężczyznę z toalety, jego głowa kilka razy uderzyła o marmurową podłogę. Przyjechali z innej dzielnicy, prawdopodobnie z jedenastki, i nie znali Jensena.

Za pięć dwunasta kelner zerknął znacząco w stronę

Jensena i zaczął zamykać. Jensen wyszedł z baru do samochodu i połączył się z oficerem dyżurnym w swoim komisariacie. Policjanci, których wysłał na przeszukanie mieszkania, właśnie wrócili.

— Znaleźliśmy to — powiedział dowódca patrolu.

— Całość?

— Tak, wygląda na to, że obie kartki ocalały. Między nimi znaleźliśmy też rozgniecioną kiełbasę.

Jensen siedział przez chwilę w milczeniu.

— Zabrało nam to sporo czasu i nie było wcale łatwe — powiedział dowódca patrolu. — Facet ma w mieszkaniu górę papierów.

— Dopilnuj, żeby jutro zwolnić właściciela mieszkania zgodnie z procedurą.

— Zrozumiałem.

— I jeszcze jedno.

— Słucham, panie komisarzu.

— Kilka lat temu w siedzibie wydawnictwa winda zabiła administratora budynku.

— Tak.

— Zbadaj okoliczności wypadku. Dowiedz się też czegoś o tym człowieku, zwłaszcza o jego stosunkach rodzinnych. Sprawa pilna.

— Zrozumiałem. Mam jeszcze coś.

— Co?

— Podobno szukał pana komendant.

— Zostawił jakąś wiadomość?

— Nic mi o tym nie wiadomo.

— Dobranoc.

Jensen odwiesił słuchawkę. W pobliżu rozległo się przenikliwe bicie zegara. Północ.

Minął szósty dzień. Zostały już tylko dwadzieścia cztery godziny.

23

W drodze powrotnej do domu Jensen jechał powoli. Był bardzo zmęczony, ale wiedział, że trudno mu będzie zasnąć. Poza tym nie pozostało mu już zbyt wiele czasu.

W długim, porządnie oświetlonym tunelu z wyraźnymi białymi pasami na asfalcie nie jechał żaden inny pojazd. Na południe od miasta znajdowała się duża strefa przemysłowa, cicha i pusta. Aluminiowe cysterny i plastikowe dachy fabryki błyszczały w blasku księżyca.

Na moście wyprzedził go policyjny bus, a chwilę potem karetka pogotowia. Oba pojazdy jechały z dużą prędkością, na włączonym sygnale.

W połowie drogi musiał się zatrzymać przed policyjną barierą. Policjant z latarką najwidoczniej go rozpoznał, bo powiedział:

— Wypadek samochodowy. Jedna ofiara śmiertelna. Wrak samochodu blokuje przejazd. Za kilka minut droga będzie wolna.

Jensen skinął głową. Siedział przy otwartym oknie i oddychał świeżym nocnym powietrzem, które wdzierało się do wnętrza wozu. W oczekiwaniu na przejazd zastanawiał się nad ciekawym zjawiskiem: z roku na rok liczba wypadków spadała, podczas gdy liczba śmiertelnych ofiar wypadków stale rosła. Eksperci z Ministerstwa Transportu już dawno temu zdołali rozwikłać tę zagadkę. Mniejszą liczbę wypadków i uszkodzonych samochodów tłumaczyli lepszą jakością dróg i lepszym nadzorem policyjnym. Jednakże ważniejszy był czynnik psychologiczny: ludzie stawali się coraz bardziej uzależnieni od samochodów, prowadzili je coraz uważniej i reagowali mniej lub bardziej podświadomie z obawy przed tym, że w razie wypadku mogą stracić auta. Natomiast rosnącą liczbę śmiertelnych ofiar na skutek awarii samochodu — wynikiem czego była śmierć kierowcy lub pasażera — należało ich zdaniem uznać w zasadzie za samobójstwa. Także i w takich okolicznościach czynnik psychologiczny odgrywał pewną rolę: ludzie żyli ze swoimi samochodami, dla swoich samochodów i razem z nimi chcieli umierać. Tak wynikało z badań przeprowadzonych kilka lat wcześniej. Wyniki utajniono, ale kierownictwo policji miało do nich dostęp.

Zablokowany pas ruchu stał się przejezdny po ośmiu minutach. Jensen zasunął okno i ruszył w dalszą drogę. Powierzchnia autostrady była pokryta lekką warstwą szronu. W miejscu, gdzie doszło do wypadku, Jensen zauważył w świetle reflektorów wyraźne ślady kół. Widać było, że nie powstały na skutek poślizgu albo gwałtownego hamowania, bo prowadziły wprost na betonowy słup na skraju drogi. Firma ubezpieczeniowa z pewnością nie wypłaci ani grosza. Niewykluczone, że kierowca był zmęczony i po prostu zasnął za kierownicą.

Jensen poczuł się w pewnym sensie niedowartościowany pod względem informacyjnym, jakby czegoś mu brakowało. Kiedy próbował zanalizować to zjawisko, poczuł ssanie w żołądku. Głód. Zaparkował samochód przed siódmym budynkiem w trzecim rzędzie, podszedł szybko do automatu z jedzeniem i nacisnął guzik z napisem „syntetyczny kleik dietetyczny".

Wszedł do mieszkania i rozebrał się. Kurtkę i marynarkę powiesił na wieszaku, zapalił światło. Opuścił żaluzje, poszedł do kuchni, nalał do garnka trochę wody i wsypał do niej kleikowy proszek. Kiedy potrawa była juz ciepła, przelał płyn do filiżanki do herbaty i wrócił do pokoju. Postawił filiżankę na nocnej szafce, usiadł na łóżku i rozsznurował buty. Zegar wskazywał kwadrans po drugiej, w całym budynku panowała cisza. Jensen wciąż miał poczucie, że czegoś mu brakuje.

Wyjął z kieszeni marynarki notes, zapalił lampkę nocną i wyłączył górne oświetlenie. Popijając kleik, powoli i systematycznie przeglądał notatki. Płyn był gęsty i miał paskudny smak.

Kiedy skończył czytać, podniósł wzrok i spojrzał na

jedną z fotografii wiszących na ścianie. Zrobiono ją, gdy chodził do szkoły policyjnej. Też był na zdjęciu — stał w tylnym rzędzie, po prawej stronie. Miał skrzyżowane ramiona i słabo się uśmiechał. Prawdopodobnie w momencie, gdy fotograf robił zdjęcie, Jensen powiedział coś do stojącego obok kolegi.

Po chwili wstał z łóżka i wyszedł do przedpokoju. Otworzył drzwi do garderoby i wyjął jedną z butelek leżących na półce wzdłuż ściany, za służbowymi czapkami. Przyniósł z kuchni szklankę, napełnił ją prawie po brzegi wódką i postawił obok filiżanki z kleikiem.

Wyjął kartkę z dziesięcioma nazwiskami i rozłożył przed sobą na stole. Siedział w milczeniu i uważnie studiował listę.

Elektryczny zegar ścienny wybił w kuchni trzecią. Jensen otworzył następną stronę w notesie i napisał: „Numer 6, mężczyzna, 38 lat, rozwiedziony, specjalista od PR, przeszedł do innej działalności".

Jensen zapisał adres i prawie niezauważalnym ruchem potrząsnął głową. Spojrzał na budzik, zgasił światło i rozebrał się. Włożył piżamę i usiadł na łóżku, owijając nogi kocem. Czuł się tak, jakby kleik pęczniał mu w żołądku. Miał wrażenie, że coś uciska mu od spodu serce.

Sięgnął po szklankę z wódką i opróżnił ją dwoma łykami. Poczuł, jak płyn zawierający sześćdziesiąt trzy procent alkoholu pali mu język i przepływa przez gardło niczym lawa ognia. Jensen leżał w ciemnościach z otwartymi oczami i czekał, aż przyjdzie sen.

24

Jensenowi nie udało się zasnąć. Od trzeciej do wpół do szóstej leżał jak w letargu. Nie był w stanie jasno myśleć, a jednocześnie nie mógł przerwać biegu myśli. Kiedy zadzwonił budzik, czuł się fatalnie i cały był mokry od potu. Czterdzieści minut później siedział w samochodzie.

Miejsce, które zamierzał odwiedzić, znajdowało się w odległości dwustu kilometrów na północ od miasta, a ponieważ była niedziela, miał nadzieję, że dojedzie tam w ciągu trzech godzin.

Miasto było ciche. Ulice i parkingi samochodowe — puste. Natomiast normalnie funkcjonowały światła na skrzyżowaniach. Kiedy komisarz jechał przez centrum, musiał się dziesięć razy zatrzymać na czerwonym świetle.

Dojechał do autostrady bez problemu. Krajobrazy widoczne po jej obu stronach nie wzbudzały jego zainteresowania. Co jakiś czas pojawiało się kolejne przedmieście lub opuszczona dzielnica. Między autostradą a linią horyzontu rozciągała się nudna, smutna okolica porośnięta suchą roślinnością. Były to głównie zdeformowane drzewa i niskie, gęste krzaki.

O ósmej Jensen zjechał na stację benzynową, żeby zatankować. Napił się też trochę letniej herbaty i przeprowadził dwie rozmowy telefoniczne.

Szef wywiadowców, odbierając telefon, odezwał się zmęczonym głosem. Jensen prawdopodobnie go obudził.

— Do wypadku doszło dziewiętnaście lat temu. Tamten mężczyzna utkwił w windzie i został zmiażdżony.

— Czy zachowały się akta sprawy?

— Przeprowadzono tylko rutynowe dochodzenie. Sprawa była oczywista. Wszystko wskazywało na nieszczęśliwy wypadek spowodowany chwilową przerwą w dostawie prądu. Mechanizm windy przestał działać na dwie minuty, a potem nagle się włączył. Poza tym ofiara sama nie zachowała należytej ostrożności.

— A rodzina tego człowieka?

— Nie miał nikogo. Mieszkał wtedy w hotelu pracowniczym.

— Czy coś po sobie pozostawił?

— Tak. Dość dużą kwotę pieniędzy.

— Komu przypadła?

— W ustawowym czasie nie zgłosił się nikt z rodziny. Dlatego cała kwota trafiła na konto państwowego funduszu.

— Coś jeszcze?

— Nic znaczącego. Facet był odludkiem, mieszkał sam, nie miał przyjaciół.

— Dziękuję.

Policjant, który prowadził poszukiwania w archiwum gazety, też był w domu.

— Mówi Jensen.

— Dzień dobry, panie komisarzu.

— Znalazłeś coś?

— Nie przekazano panu mojego raportu?

— Nie.

— Zostawiłem go już wczoraj przed południem.

— No to złóż raport ustny.

— Oczywiście, ale potrzebuję chwili, żeby sobie wszystko przypomnieć.

— W porządku.

— Litery naklejone na kopercie wycięto z tej samej gazety, ale nie wszystkie tego samego dnia. Pochodzą z dwóch różnych numerów: z piątku i soboty poprzedniego tygodnia. Tego rodzaju czcionka nazywa się Bodoni.

Jensen otworzył notes i zapisał wszystko na wewnętrznej stronie okładki.

— Jeszcze coś?

Policjant przez chwilę milczał, a następnie powiedział:

— Litery pochodziły z gazet wydrukowanych w ostatniej partii. Tej, którą dostarczono do kiosków i bezpośrednio do prenumeratorów w mieście.

— Dziękuję. Nie będę cię już potrzebował w tym dochodzeniu. Możesz znowu zająć się swoimi sprawami.

Jensen odłożył słuchawkę, wsiadł do samochodu i ruszył w dalszą drogę.

O dziewiątej minął pogrążone we śnie gęsto zabudowane przedmieście. Składało się z tysięcy takich samych domków szeregowych ustawionych w czworokącie wokół jakiejś fabryki. Z kominów zakładu unosił się żółtawy dym. Kilkaset metrów nad ziemią rozwiewał się i powoli opadał na osiedle.

Kwadrans później Jensen dotarł na miejsce.

Udało mu się nie przekroczyć czasu wyliczonego na przejazd. Postój na stacji benzynowej zabrał mu nie więcej niż piętnaście minut.

Dom, który był celem jego wizyty, należał do nowoczesnych budynków ze szklanymi ścianami i dachem pokrytym falistym tworzywem sztucznym. Budynek stał na zboczu w odległości trzech kilometrów na wschód od autostrady, w otoczeniu drzew. U stóp zbocza znajdowało się jezioro pełne szaroburej wody. W powietrzu unosił się smród dobiegający od strony fabryki.

Na betonowym placu przed domem stał otyły mężczyzna w szlafroku i pantoflach. Sprawiał wrażenie zaniedbanego i bez entuzjazmu spojrzał na gościa. Jensen pokazał mu swoją odznakę.

— Czego pan chce?

— Chciałbym panu zadać kilka pytań.

— No to niech pan wejdzie.

Wnętrze domu składało się z dwóch pokojów. Na podłodze leżały dywany. Jensen zauważył też popielniczki i meble ze stalowych rurek, które wyglądały tak, jakby przywieziono je wprost z wydawnictwa.

Jensen wyjął notes i długopis.

— Kiedy przestał pan pracować w wydawnictwie?

Mężczyzna udał, że ziewa, i rozejrzał się wokół siebie, jakby chciał coś ukryć.

— Trzy miesiące temu — odparł w końcu.

— Dlaczego pan odszedł?

Spojrzał na Jensena. W jego szarych oczach pojawił się błysk zamyślenia. Jakby się zastanawiał, czy powinien odpowiedzieć na to pytanie. Po dłuższej chwili wykonał słaby gest i odparł:

— Jeśli chce pan obejrzeć dyplom, to od razu mówię, że go tu nie mam.

Jensen milczał.

— Jest w mieszkaniu mojej... mojej żony, w mieście.

— Dlaczego pan odszedł?

Mężczyzna zmarszczył brwi, jakby chciał się skoncentrować. Po chwili oznajmił:

— Cokolwiek pan słyszał i cokolwiek pan sobie wyobraża, jest to nieprawda. Nie będę mógł panu w niczym pomóc.

— Dlaczego pan odszedł?

Przez kilka sekund panowała cisza. Mężczyzna pocierał niepewnie czubek nosa.

— Tak naprawdę to nie odszedłem. Wprawdzie moja umowa o pracę w wydawnictwie wygasła, ale wciąż jestem związany z koncernem.

— Czym się pan zajmuje?

Jensen rozejrzał się po chłodnym pokoju. Mężczyzna podążył za jego wzrokiem. Po długim milczeniu, dłuższym niż poprzednio, powiedział:

— Po co te wszystkie pytania? Nie wiem niczego, co mogłoby się panu przydać. Przysięgam, że dyplom jest u żony w mieście.

— A dlaczego pan sądzi, że chciałbym go zobaczyć?

— Nie wiem. Byłoby to dziwne, gdyby pan jechał dwieście kilometrów tylko po to. — Mężczyzna potrząsnął głową. — Tak przy okazji, jak długo pan do mnie jechał?

W jego oczach pojawił się błysk zainteresowania, ale Jensen nie odpowiedział, więc mężczyzna wrócił do poprzedniego tonu.

— Mnie zabrało to w najlepszym wypadku godzinę i czterdzieści pięć minut — rzekł ponurym głosem.

— Ma pan tu telefon?

— Nie, nie mam.

— Czy jest pan właścicielem tego domu?

— Nie.

— Do kogo należy?

— Do koncernu. Pozwolili mi tu mieszkać. Muszę trochę odpocząć, zanim przejmę nowe obowiązki.

— Co to za nowe obowiązki?

Do tej pory mężczyzna odpowiadał z pewnym wahaniem. Tym razem w ogóle nie odpowiedział na pytanie.

— Dobrze się tu panu mieszka?

Mężczyzna spojrzał wymownie na Jensena.

— Niech pan mnie posłucha: ktoś wprowadził pana w błąd. Nie mam nic do powiedzenia, co mogłoby się panu przydać. Może mi pan wierzyć, że wszystkie te historie są dla mnie bez znaczenia.

— Jakie historie?

— Wszystkie, o których pan słyszał.

Jensen spojrzał na niego wzrokiem pozbawionym wyrazu. W pokoju panowała zupełna cisza. Smród z fabryki czuć było w takim samym stopniu w domu, jak i na zewnątrz.

— Czym się pan zajmował w koncernie?

— Wszystkim po trochu. Najpierw byłem dziennikarzem sportowym. Potem redaktorem naczelnym kilku różnych gazet. Następnie trafiłem do działu reklamy. Dużo podróżowałem, głównie pisałem reportaże o tematyce sportowej, z całego świata. Potem wysłali mnie za granicę jako swojego korespondenta. Dzięki temu dużo jeździłem i obserwowałem.

— Co to znaczy public relations?

— To nie tak łatwo wyjaśnić.

— A więc sporo pan podróżował?

— Byłem prawie wszędzie.

— Zna pan języki obce?

— Nie, nie mam zdolności językowych.

Jensen siedział przez chwilę w milczeniu. Nie odrywał wzroku od mężczyzny w szlafroku. W końcu spytał:

— Czy w gazetach często publikowane są reportaże o tematyce sportowej?

— Nie.

Mężczyzna wyglądał na coraz bardziej zakłopotanego.

— W dzisiejszych czasach nikt nie interesuje się sportem, chyba że w telewizji.

— Mimo to zjeździł pan cały świat, pisząc reportaże sportowe?

— Nigdy nie umiałem pisać o czymś innym. Próbowałem, ale się nie udało.

— Dlaczego przestał się pan tym zajmować?

— Pewnie przestało im się opłacać. Tak myślę — odparł i przez kilka sekund nad czymś się zastanawiał. — W gruncie rzeczy koncern jest dość skąpy.

— Czy wie pan, pod który komisariat podlega ta dzielnica?

Mężczyzna spojrzał bezradnie na Jensena. Potem wykonał gest w stronę okna. Nad lasem, po drugiej stronie jeziora, pojawiła się żółta chmura dymu z fabryki.

— Chyba pod ten, który znajduje się w miejscu, skąd przychodzi listonosz.

— Czy poczta jest dostarczana każdego dnia?

— Z wyjątkiem niedziel.

Mężczyzna nabrał głęboko powietrza. Z autostrady dobiegał szum samochodów.

— Czy długo będzie mnie pan jeszcze męczył? To naprawdę nie ma sensu. A chce pan wiedzieć, dlaczego tu przyjechałem?

— Nie mam pojęcia.

Mężczyzna poruszył się niespokojnie. Panująca cisza była dla niego chyba zbyt kłopotliwa.

— Jestem zwykłym facetem, który miał pecha — wyjaśnił.

— Pecha?

— Tak, pecha, chociaż wszyscy naokoło twierdzą, że miałem szczęście. Ale sam pan widzi, jak jest, siedzę tu i gniję. Czy tak wygląda szczęście?

— Co pan chce zrobić?

— Nic. Nie chcę sprawiać nikomu kłopotów.

Zapadła długa i niezręczna cisza. Mężczyzna spojrzał kilka razy na Jensena, jakby o coś go prosił, ale za każdym razem szybko odwracał wzrok.

— Proszę, niech pan już sobie pójdzie — powiedział zgaszonym głosem. — Przysięgam, że dyplom jest w mieście, w mieszkaniu mojej żony.

— Mam wrażenie, że źle tu panu.

— Tego nie powiedziałem.

— Czy w ostatniej pracy też się pan źle czuł?

— Nie, nie, absolutnie. Dlaczego miałbym się źle czuć? Dostałem przecież wszystko, czego chciałem. — Wyglądał tak, jakby zapadał się w bezowocne rozważania. W końcu się odezwał:

— Niczego pan nie zrozumiał. Nasłuchał się pan różnych historii, nie wiem nawet jakich, i myśli pan, że są prawdziwe. Poza tym zupełnie nie jest tak, jak mówią ludzie. To nieprawda. Przynajmniej duża część jest niezgodna z prawdą.

— A więc to, co o panu opowiadają, jest nieprawdą?

— No dobrze, do cholery. To prawda, że prezes się przestraszył i wyskoczył za burtę. Ale to przecież nie była moja wina.

— Kiedy to się stało?

— W czasie regat, wie pan o tym równie dobrze jak ja. W zasadzie nie było w tym nic szczególnego. Popłynąłem z nim, bo sądził, że potrafię żeglować. A on chciał wygrać. Kiedy zaczął się szkwał, a ja wspiąłem się na reling, żeby wychylić się nad wodę i utrzymać równowagę, pewnie pomyślał, że łódź się wywróci. Krzyknął coś i wskoczył do wody. A ja nie miałem innego wyjścia, musiałem płynąć dalej. — Spojrzał ponuro na Jensena. — Gdybym trzymał język za zębami, nic by się nie stało. Ale mnie się wydawało, że to śmieszna historia. Potem było mi przykro, kiedy zrozumiałem, że dali mi taką ciekawą pracę, bo chcieli mnie trzymać jak najdalej od siebie. Ale i wtedy nie potrafiłem utrzymać języka za zębami. A jednak... — Drgnął i znowu potarł nos. — Niech pan nie zaprząta sobie głowy tymi historiami. To tylko czcza gadanina. Moja żona na tym zyskała, zresztą i tak robi, co jej się podoba, prawda? Poza tym jesteśmy już po rozwodzie. Nie skarżę się, w każdym razie tak mi się wydaje. — Po krótkiej przerwie dodał: — Nie, nie skarżę się.

— Niech mi pan pokaże telegram.

Mężczyzna spojrzał na Jensena przerażonym wzrokiem.

— Jaki telegram? Ja nie...

— Niech pan nie kłamie.

Mężczyzna wstał gwałtownie i podszedł do okna. Stał tam i uderzał jedną pięścią o drugą.

— Nie — odparł. — Nie oszuka mnie pan. Nic więcej nie powiem.

— Proszę mi pokazać ten telegram.

Mężczyzna się odwrócił. Miał zaciśnięte pięści.

— To niemożliwe. Nie ma żadnego telegramu.

— Czy pan go zniszczył?

— Nie pamiętam.

— Jak brzmiała jego treść?

— Nie pamiętam.

— Kto go podpisał?

— Nie pamiętam.

— Dlaczego pan odszedł z firmy?

— Nie pamiętam.

— Gdzie mieszka pana była żona?

— Nie pamiętam.

— Gdzie pan przebywał o tej porze tydzień temu?

— Nie pamiętam.

— Czy był pan tutaj?

— Nie pamiętam.

Mężczyzna stał zwrócony plecami do okna, z zaciśniętymi pięściami. Po twarzy spływał mu pot, wzrok miał przerażony i w dziecięcy sposób przekorny. Jensen spoglądał na niego obojętnie. Po minucie schował notes do kieszeni, wziął kapelusz i skierował się w stronę drzwi. Zanim wyszedł, spytał:

— Co robi dział trzydziesty pierwszy?

— Nie pamiętam.

Jensen wsiadł do samochodu i pojechał w stronę fabryki. Kiedy tam dotarł, było piętnaście po jedenastej. Zaparkował przy komisariacie policji i zadzwonił do szefa wywiadowców.

— Tak, są po rozwodzie. Znajdź mi jej adres. Pojedź do niej i obejrzyj dyplom. Jeśli nie jest kompletny, zabierz go jej.

— Zrozumiałem.

— To pilne. Czekam tu na wiadomość.

— Zrozumiałem.

— Jeszcze jedna sprawa.

— Tak?

— Wczoraj albo dzisiaj rano facet dostał telegram. Wyślij kogoś, żeby zdobył kopię.

— Zrozumiałem.

Dyżurka w komisariacie była duża i ponura, z żółtymi ceglanymi ścianami i plastikowymi zasłonami na oknach. Na samym końcu pomieszczenia stał kontuar, za którym widać było kilka cel z zakratowanymi drzwiami. W niektórych przebywali aresztanci. Przy kontuarze siedział policjant w zielonym mundurze i przeglądał segregator z raportami.

Jensen usiadł przy oknie i wyjrzał na pusty i cichy o tej porze rynek. Żółty dym zdawał się wysysać z promieni słonecznych cały ich blask. Smród bijący od fabryki był potworny.

— Czy zawsze tak tu śmierdzi?

— W dni robocze jest jeszcze gorzej — odparł policjant.

Jensen skinął głową.

— Można się przyzwyczaić. Ten gaz nie jest podobno szkodliwy dla zdrowia, ale moim zdaniem działa na ludzi deprymująco. Wielu odbiera sobie życie.

— Coś takiego.

Po niecałej godzinie zadzwonił telefon.

— Kobieta z ochotą współpracowała z nami — poinformował szef wywiadowców. — Od razu pokazała nam dyplom.

— No i?

— Jest cały. Zawiera obie strony.

— Czy coś wskazuje na to, że ktoś mógł podmienić strony albo że to całkiem nowy dyplom?

— W każdym razie podpisy nie są nowe. Atrament też nie był świeży.

— Byłeś w jej mieszkaniu?

— Nie, sama przyniosła dyplom. Z ochotą współpracowała z nami, jak już powiedziałem. Wyglądało to tak, jakby na nas czekała. Poza tym to bardzo elegancka, młoda kobieta.

— A telegram?

— Wysłałem jednego z moich ludzi na pocztę.

— Niech wraca.

— Kopia nie jest już potrzebna?

— Nie. — Jensen zrobił krótką przerwę. Potem dodał: — Myślę, że telegram nie ma nic wspólnego z tą sprawą.

— Panie komisarzu?

— Słucham.

— Zdziwił mnie tylko jeden szczegół. Ktoś z moich ludzi stał przed domem, gdzie mieszka ta kobieta.

— Rozumiem. Coś jeszcze?

— Szukał pana komendant.

— Czy zostawił jakąś wiadomość?

— Nie.

Na autostradzie panował już bardziej ożywiony ruch. Po obu stronach drogi parkowało wiele samochodów. Część właścicieli była zajęta polerowaniem lakieru, podczas gdy inni wymontowali siedzenia i rozstawili przy samochodach stoliki. Stały na nich przenośne telewizory i koszyki z jedzeniem, takim samym, jakie można kupić w automatach. W pobliżu miasta korki były już dłuższe, a gdy Jensen dotarł do centrum, jego zegarek wskazywał dziesięć minut po piątej.

W mieście w dalszym ciągu było pusto. Jeśli ktoś nie zajmował się swoim samochodem, oglądał w telewizji transmisję z jakiegoś meczu piłkarskiego. Mecze rozgrywano bez kibiców w dużych, ogrzewanych halach telewizyjnych. Drużyny tworzyli gracze zatrudnieni na podstawie kontraktu, w tym wielu graczy zagranicznych. I chociaż powiadano, że poziom spotkań jest wysoki, można było odnieść wrażenie, że zainteresowanie nimi spada. Jensen rzadko je oglądał, ale zawsze, jeśli przebywał w domu, miał włączony telewizor. Domyślał się, że wiele innych osób robi to samo.

Od godziny czuł się osłabiony, jakby za chwilę miał zemdleć. Uznał, że to z głodu, więc zatrzymał się przy jakimś fast foodzie. Kupił kubek ciepłej wody, niewielką torebkę z rozpuszczalnym bulionem i porcję sera.

Czekając, aż proszek rozpuści się w wodzie, wyjął notes i napisał: „Numer 7, dziennikarz, stan wolny, 58 lat, odszedł na własne żądanie".

Chociaż bulion wypił od razu, do samochodu wsiadł dopiero o wpół do szóstej. Kiedy jechał w zachodnim kierunku, zaczęło się ściemniać.

Do północy zostało już tylko sześć godzin.

25

Ulica była wąska i słabo oświetlona. Porastały ją dwa rzędy drzew, po obu jej stronach stały jedno- albo dwupiętrowe domki jednorodzinne. Dzielnica nie była zbyt oddalona od centrum miasta. Zbudowano ją mniej więcej czterdzieści lat temu. Później wprowadzili się tu głównie urzędnicy, co prawdopodobnie uratowało ją przed przebudową według standardowego wzoru, gdy popyt na mieszkania został całkowicie zaspokojony.

Jensen zaparkował samochód, przeszedł na drugą stronę i nacisnął dzwonek przy drzwiach. Niestety, w oknach nie zapaliło się światło i nikt nie zareagował na dźwięk dzwonka.

Jensen wrócił do samochodu, siadł za kierownicą i zaczął studiować listę nazwisk w notatniku. Potem schował notes do kieszeni, spojrzał na zegarek, zgasił światło w samochodzie i czekał.

Po kwadransie na ulicy pojawił się niewysoki mężczyzna w welurowym kapeluszu i szaro nakrapianej jesionce. Otworzył drzwi wejściowe do domu i wszedł do środka. Jensen odczekał, aż zapali się światło za żaluzjami. Potem podszedł do drzwi i zadzwonił.

Mężczyzna otworzył od razu. Nosił proste, porządne ubranie i wyglądał na swoje lata. Twarz miał chudą i spoglądał na Jensena zza okularów przyjaznym, pytającym wzrokiem.

Jensen pokazał mu swoją legitymację służbową.

— Nazywam się Jensen i jestem komisarzem w szesnastej dzielnicy. Prowadzę dochodzenie, które dotyczy pańskiej ostatniej firmy.

— Proszę wejść — powiedział mężczyzna, robiąc mu przejście.

Główny pokój był dość duży. Dwie ściany zajmowały regały z książkami, gazetami i czasopismami. Przy oknie stało biurko z telefonem i maszyną do pisania, a na środku pokoju niewielki zestaw wypoczynkowy złożony ze stolika i trzech foteli. Pokój rozświetlała lampa na biurku i duża lampa stojąca z plastikowym żyrandolem wisząca nad zestawem wypoczynkowym.

W chwili gdy Jensen wszedł do pokoju, zachowanie mężczyzny uległo zmianie. Inaczej się poruszał, miał też inne spojrzenie. Wyglądał tak, jakby za chwilę miał zrobić coś, co w przeszłości robił wiele razy.

— Proszę usiąść.

Jensen usiadł i wyjął notes i długopis.

— Czym mogę panu służyć?

— Potrzebuję trochę wyjaśnień.

— Jestem oczywiście do pana dyspozycji. Odpowiem, jak tylko będę mógł najlepiej.

— Kiedy przestał pan pracować w koncernie?

— Pod koniec października zeszłego roku.

— Czy długo pan tam pracował?

— Stosunkowo długo. Ściślej mówiąc, piętnaście lat i cztery miesiące.

— Dlaczego przestał pan tam pracować?

— Powiedzmy, że zapragnąłem poświęcić się prywatnemu życiu. Odszedłem z firmy na własne żądanie po wypowiedzeniu umowy w przepisowym terminie.

Mężczyzna wypowiadał każde zdanie z uwagą. Mówił przytłumionym, melodyjnym głosem.

— Czy mogę pana czymś poczęstować? Filiżanką herbaty?

Jensen pokręcił lekko głową.

— Czym się pan obecnie zajmuje?

— Jestem niezależny finansowo i nie muszę zarabiać na swoje utrzymanie.

— Co pan robi?

— Większą część czasu poświęcam na czytanie.

Jensen rozejrzał się po mieszkaniu. Wszędzie panował wzorowy porządek. Mimo dużej liczby książek, gazet i dokumentów wszystko było starannie poukładane. Graniczyło to nawet z pedanterią.

— Czy kiedy pan odchodził z firmy, wręczono panu coś w rodzaju dyplomu lub listu pożegnalnego?

— To prawda, tak właśnie było.

— Ma go pan jeszcze?

— Tak sądzę. Chce pan go obejrzeć?

Jensen nie odpowiedział. Przez ponad minutę siedział nieruchomo, nie patrząc na gospodarza. Potem zapytał:

— Czy przyznaje się pan do wysłania anonimowego listu z pogróżkami do kierownictwa koncernu?

— A kiedy miałem to niby zrobić?

— Mniej więcej o tej porze, przed tygodniem.

Mężczyzna podciągnął lekko spodnie i założył nogę na nogę. Lewym łokciem wspierał się o oparcie fotela. Powoli przesunął palcem wskazującym wzdłuż dolnej wargi.

— Nie — odparł spokojnie. — Nic przyznaję się.

Jensen otworzył usta, żeby coś powiedzieć, ale się powstrzymał. Zamiast tego spojrzał na zegarek, który wskazywał jedenaście minut po siódmej.

— Domyślam się, że nie jestem pierwszą osobą, z którą pan rozmawia o tej sprawie. Ilu spośród tych osób zadał pan to pytanie? — Tym razem odezwał się bardziej ożywionym tonem.

— Kilkunastu — odparł Jensen.

— I pewnie wszystkie są z wydawnictwa?

— Tak.

— No to już sobie wyobrażam, ile pan usłyszał anegdot

i starych plotek. Pewnie same obmowy, półprawdy, aluzje, mnóstwo zrzędzenia i zafałszowanych historii.

Jensen milczał.

— W całym budynku aż od nich kipi. Takie odnoszę wrażenie — kontynuował mężczyzna. — Ale tak jest pewnie w większości firm.

— Jaki miał pan zakres obowiązków w okresie pracy w koncernie?

— Pracowałem jako dziennikarz w dziale kulturalnym. Przez cały okres miałem ten sam zakres obowiązków.

— Czy miał pan wgląd w organizację i działalność firmy?

— W pewnym sensie. Ma pan na myśli coś konkretnego?

— Czy słyszał pan o dziale trzydziestym pierwszym?

— Tak.

— Czy wie pan, czym się tam zajmują?

— Myślę, że tak. Pracowałem w tym dziale przez piętnaście lat i cztery miesiące.

Po trwającym prawie minutę milczeniu Jensen spytał jakby mimochodem:

— Czy przyznaje się pan do wysłania anonimowego listu z pogróżkami do kierownictwa koncernu?

Mężczyzna zignorował pytanie.

— Dział trzydziesty pierwszy, zwany też działem specjalnym, jest najważniejszy w całym wydawnictwie.

— Już o tym słyszałem. Czym się tam zajmują?

— Niczym. Zupełnie niczym.

— Proszę mi to wyjaśnić.

Mężczyzna wstał z fotela, podszedł do biurka i przyniósł kartkę i ołówek. Usiadł przy stoliku, rozłożył kartkę dokładnie wzdłuż linii blatu i położył ołówek wzdłuż górnego, krótszego brzegu arkusza. Potem spojrzał badawczo na swego gościa.

— Dobrze. Wyjaśnię to panu.

Jensen spojrzał na zegarek. 19.29. Miał już tylko cztery i pół godziny.

— Czy panu się spieszy? — spytał mężczyzna.

— Tak, mam mało czasu.

— Spróbuję się streszczać. Pytał mnie pan, czym zajmuje się dział specjalny, prawda?

— Tak.

— Już panu udzieliłem wyczerpującej odpowiedzi: niczym. Im bardziej będę chciał rozwinąć tę odpowiedź, tym mniej będzie wyczerpująca. Niestety. Rozumie pan?

— Nie.

— Oczywiście, że nie. Mam jednak nadzieję, że pan zrozumie. W przeciwnym razie grozi nam pat.

Mężczyzna milczał przez pół minuty i w tym czasie jego stosunek do całej sprawy uległ pewnej zmianie. Kiedy znowu się odezwał, zabrzmiało to tak, jakby był niezbyt pewny siebie, ale za to bardziej zaangażowany niż poprzednio.

— Najprościej zacznę od tego, że opowiem panu

o sobie. Wychowałem się w inteligenckiej rodzinie i zdobyłem tradycyjne, humanistyczne wykształcenie. Mój ojciec był wykładowcą akademickim, a ja zaliczyłem dziesięć semestrów na akademii. To była uczelnia o prawdziwym profilu humanistycznym, nie tylko z nazwy. Czy rozumie pan, co to dokładnie oznacza?

— Nie.

— Nie umiem wyjaśnić wszystkiego. Zaprowadziłoby nas to zbyt daleko. Całkiem możliwe, że pan po prostu zapomniał, co znaczą pewne zwroty, którymi się posługuję. Na pewno jednak kiedyś je pan słyszał. Dlatego z pewnością zrozumie pan ich sens i kontekst.

Jensen odłożył długopis i zaczął słuchać.

— Jak już wcześniej wspomniałem, od samego początku pracowałem jako dziennikarz w dziale kulturalnym. Między innymi dlatego, że kiedyś zamierzałem zostać pisarzem. Nie ukrywałem tego, bo pisanie było moją potrzebą życiową, a właściwie nawet namiętnością.

Przerwa. O szyby zaczął bębnić drobny deszcz.

— Przez wiele lat pracowałem jako redaktor w dziale kulturalnym pewnego prywatnego dziennika. Na jego łamach nie tylko publikowano artykuły z zakresu sztuki, literatury, muzyki i innych dziedzin, ale także prowadzono debaty. Dla mnie, a pewnie i dla wielu innych dziennikarzy, właśnie te debaty były najważniejsze. Obejmowały wachlarz spraw, najistotniejsze zjawiska społeczne.

Często charakteryzowały się ostrością i nie wszystkie komentarze i uwagi były do końca przemyślane.

Jensen lekko się poruszył.

— Stop — powiedział gospodarz, podnosząc prawą rękę. — Chyba wiem, co zamierza pan powiedzieć. To prawda, te debaty rzeczywiście denerwowały ludzi, nierzadko ich oburzały, rozczarowywały, złościły albo nawet przerażały. Nigdy nie głaskaliśmy nikogo po głowie, nie podlizywaliśmy się ludziom ani instytucjom, nie hołubiliśmy żadnych ideologii. Ja... my wszyscy uważaliśmy, że była to słuszna postawa.

Jensen znowu się poruszył i spojrzał na zegarek. 19.45.

— Ktoś twierdził — kontynuował w zamyśleniu mężczyzna — że krytyka i gwałtowne ataki złamały kiedyś komuś życie, i to do tego stopnia, że ten człowiek popełnił samobójstwo.

Przez kilka sekund panowała cisza. Za oknami padał deszcz.

— Niektórych z nas nazywano radykałami kultury, ale to oczywiste, że wszyscy byliśmy radykałami, bez względu na to, czy nasze gazety miały prywatnego właściciela, czy też działały według zasad socjalistycznych. Jeśli chodzi o mnie, doszedłem do takich przemyśleń dopiero później. Jednakże polityka nie należała do zjawisk, które interesowały mnie najbardziej. Zresztą nie ufałem naszym politykom. Uważałem, że mają niewystarczające kwalifikacje, zarówno jeśli chodzi o stosunek do innych ludzi, jak i o wykształcenie.

Jensen zaczął lekko bębnić palcami po blacie stołu.

— Domyślam się, że chce pan, abym przeszedł do rzeczy — rzekł mężczyzna. — No dobrze. Innym zjawiskiem, które nie wzbudzało we mnie szczególnego zachwytu, były tygodniki. Według mojego rozeznania od dość dawna przynosiły więcej szkody niż pożytku. W rzeczywistości odgrywały pewną rolę, nieważne jaką, więc pozwolono im na dalsze istnienie. Tyle że nie zostawiono ich w spokoju. Poświęciłem dużą część własnego życia na to, aby poznać tę tak zwaną ideologię od podszewki, rozłożyć ją na czynniki pierwsze i zniszczyć. Uczyniłem to w wielu artykułach i jednej książce. — Mężczyzna słabo się uśmiechnął. — Książka sprawiła, że stałem się niepopularny wśród tych, którzy uwielbiali takie pisma. Pamiętam, że nazwano mnie wtedy „wrogiem numer jeden prasy tygodniowej". Na szczęście to już przeszłość.

Mężczyzna przerwał i narysował na arkuszu papieru kilka diagramów. Kreski były cienkie i dokładne. Wyglądało na to, że rysowanie ma we krwi.

— No cóż, zgodnie z duchem czasu streszczę całą tę historię maksymalnie i przedstawię ją w prosty sposób. Struktura społeczeństwa zaczęła się zmieniać, najpierw powoli i w sposób niezauważalny, potem w oszałamiającym tempie. Coraz częściej mówiono o dobrobycie i życiu w zgodzie, bo oba te zjawiska uważano za nierozerwalnie ze sobą związane i zależne od siebie pod każdym względem. Na początku nie zauważano niczego, co mogłoby wzbudzić czyjś niepokój: udało się zaspokoić głód mieszkaniowy, spadła przestępczość, rozwiązano problemy młodzieży. Jednocześnie pojawiła się długo oczekiwana reakcja moralna. Odbyło się to tak samo punktualnie jak nadejście epoki lodowej. Jak już wspomniałem, nie było w tym nic niepokojącego. Niewielu z nas miało podejrzenia. Rozumiem, że pan wie równie dobrze jak ja, co stało się później?

Jensen nie odpowiedział. Opanowało go nowe i dziwne uczucie. Coś jak izolacja, oddzielenie, jakby on i ten niewysoki mężczyzna w okularach znajdowali się wewnątrz plastikowej kopuły albo w gablocie jakiegoś muzeum.

— Najważniejszą sprawą było dla nas oczywiście to, że całą działalność publicystyczną zaczęto koncentrować pod jednym zarządem, że coraz więcej gazet i wydawnictw przejmował ten sam koncern. Wyjaśnienie było zawsze to samo: przewidywana opłacalność takiego przejęcia. Wszystko szło dobrze, i to do tego stopnia, że jeśli ktoś coś krytykował, czuł się od razu jak przysłowiowy pies wyjący do księżyca. Nawet osoby, o których mówiono, że są przewidujące, zaczęły sobie uświadamiać, że byłoby to czepianiem się drobiazgów, gdyby zechciały nagle rozpocząć debatę wokół kwestii, co do których panował ogólny, zgodny pogląd. Jeśli chodzi o tę sprawę, zawsze uważałem inaczej. Powiedzmy, że wynikało to z przekory i monomanii. W tamtym okresie ukuto określenie „kulturalny robotnik". Niewielu reagowało w ten sam sposób.

W pokoju panowała całkowita cisza. Także z zewnątrz nie dochodziły żadne dźwięki.

— Koncern wchłonął gazetę, w której pracowałem. Nie potrafię sobie dokładnie przypomnieć, kiedy do tego doszło. W tamtym okresie następowała cała seria fuzji i zakupów dokonywanych przez ludzi słupy. Zresztą niewiele się o tym mówiło, a jeszcze mniej pisało. Mój dział coraz bardziej się kurczył. W końcu przestał istnieć. Oznaczało to, że zostałem bez źródła utrzymania, podobnie jak koledzy z innych gazet i niektórzy dziennikarze pracujący na zlecenia. Tak się dziwnie składało, że byli to wyłącznie ci najbardziej oporni i to właśnie dla nich zabrakło nowych ofert pracy. Przepraszam, ale muszę sobie przynieść coś do picia. Czy pan też sobie czegoś życzy?

Jensen pokręcił głową. Mężczyzna wstał i zniknął za drzwiami, które prowadziły prawdopodobnie do kuchni. Po chwili wrócił ze szklanką wody mineralnej, wypił kilka łyków i odstawił ją na stolik.

— Zresztą nigdy nie zrobiliby ze mnie dziennikarza sportowego czy sprawozdawcy w telewizji — mruknął. Uniósł szklankę na kilka centymetrów, pewnie żeby sprawdzić, czy nie zostawiła jakichś mokrych plam na blacie. — Minął mniej więcej miesiąc i moja przyszłość nie rysowała się zbyt jasno. I nagle któregoś dnia zaproszono mnie do dużego wydawnictwa, aby porozmawiać ze mną o ewentualnym zatrudnieniu. Bardzo mnie to zdziwiło.

Mężczyzna zrobił kolejną przerwę. Jensen znowu sprawdził godzinę na zegarku. 20.05. Po chwili wahania spytał:

— Czy przyznaje się pan do wysłania anonimowego listu z pogróżkami do kierownictwa koncernu?

— Nie, nie i nie — odparł mężczyzna poirytowanym głosem. Wypił trochę wody ze szklanki. — Poszedłem na spotkanie, choć byłem dość sceptycznie nastawiony. Uczestniczyło w nim ówczesne kierownictwo koncernu, w zasadzie ci sami ludzie co dzisiaj. Byli wobec mnie uprzedzająco grzeczni, a propozycja, którą mi złożyli, wzbudziła moje zdumienie. Do dzisiaj pamiętam niektóre zdania. — Mężczyzna się roześmiał. — I to nie z powodu dobrej pamięci, tylko dlatego, że krytycznie o nich pisałem. Powiedzieli, że swobodne debaty nie mogą umrzeć i że ci, którzy je toczą, nie powinni siedzieć bezczynnie. Bo nawet jeśli społeczeństwo zmierza do doskonałości, zawsze będą zachodzić zjawiska, o których można podyskutować. I że wolna debata... nawet jeśli jest zbędna... to jeden z najważniejszych fundamentów idealnego państwa. I że istniejącą kulturę należy pielęgnować i zachować dla potomności bez względu na sposób, w jaki będziemy to czynić. Na końcu oznajmili, że koncern... który i tak już ponosi odpowiedzialność za dużą część publicystyki w kraju... jest też gotów wziąć odpowiedzialność za debatę o sprawach kultury. Powiedzieli, że zamierzają wydawać największe w kraju i całkowicie niezależne czasopismo o tematyce kulturalnej i że chcą w nim zatrudnić najlepszych i najbardziej wojowniczych dziennikarzy. — Mężczyzna wyglądał tak, jakby coraz bardziej ekscytował się tematem, o którym opowiadał. Szukał wzrokiem Jensena, żeby ten skupił uwagę na jego słowach. — Potraktowali mnie bardzo przyzwoicie. Usłyszałem kilka pełnych szacunku aluzji na temat często deklarowanego przeze mnie poglądu na rolę tygodników, a na zakończenie podali mi rękę, jakby chodziło o partię ping-ponga. Stwierdzili, że bardzo się cieszą, że będą mogli zaprezentować inne poglądy niż moje. W końcu złożyli mi konkretną propozycję. — Przez chwilę mężczyzna sprawiał wrażenie pogrążonego we własnych myślach. — Jak to jest z cenzurą? W naszym kraju cenzura oficjalnie nie istnieje, prawda?

Jensen pokręcił głową.

— A mnie się zdaje, że cenzura w naszym kraju działa o wiele sprawniej i konsekwentniej niż w jakimkolwiek innym państwie policyjnym. Dlaczego? Oczywiście dlatego, że naciski wywierane są nieoficjalnie, z zastosowaniem metod niezgodnych z prawem. Także dlatego, że możliwości cenzurowania nie wynikają z przepisów prawa, tylko zależą od decyzji różnych ludzi... konkretnych urzędników albo przedsiębiorców... którzy są przekonani, że ich postanowienia są słuszne i służą dobru innych. Również dlatego, że społeczeństwo bardzo często wierzy w sens takiego postępowania i na skutek tego samo stosuje pewną formę cenzury, kiedy trafia się ku temu okazja. — Rzucił szybkie spojrzenie w stronę Jensena, aby sprawdzić, czy ten podąża za tokiem jego myśli. — Wszystko podlega cenzurze: jedzenie, które spożywamy, gazety, które czytamy, programy telewizyjne, które oglądamy, audycje radiowe, których słuchamy. Nawet mecze piłkarskie są cenzurowane. Nie wolno opisywać sytuacji, w których gracze doznali kontuzji, ani groźnych fauli. Wszystko to odbywa się dla dobra nas, ludzi. Tego rodzaju sytuacja zaczęła się kształtować w dość wczesnym stadium.

Mężczyzna narysował na kartce kilka nowych figur geometrycznych.

— Wszyscy ci, którzy prowadzili debaty na tematy kulturalne, zauważyli to zjawisko już dawno temu, choć początkowo pojawiło się ono w kontekście spraw, które bezpośrednio nas nie dotyczyły. Bardziej namacalne stały się te symptomy w wymiarze sprawiedliwości. Zaczęło się od tego, że coraz częściej i coraz bardziej rygorystycznie sięgano do treści ustawy o obowiązku zachowania tajemnicy państwowej. Kręgom wojskowym udało się wmówić prawnikom i politykom, że różnego rodzaju petycje mogą zagrozić bezpieczeństwu państwa. Później zauważyliśmy, że coraz więcej rozpraw sądowych rozstrzyga się za zamkniętymi drzwiami, co osobiście zawsze uważałem za rzecz godną potępienia, nawet w wypadkach, gdy oskarżonym był jakiś zboczeniec seksualny. W końcu doszło do tego, że nawet najprostsze procesy sądowe toczyły się za zamkniętymi drzwiami lub częściowo rozstrzygano je bez wiedzy osób postronnych. Uzasadnienie było zawsze podobne: należy chronić jednostkę przed nieobyczajnymi zjawiskami, przed podjudzaniem ludzi przeciwko sobie i przed negatywnymi informacjami, które w jakikolwiek sposób mogłyby im zakłócić spokojny byt. Jednocześnie wyszło na jaw... do dzisiaj pamiętam, z jakim zdumieniem skonstatowałem ten fakt... że różnego rodzaju urzędnicy wyższego albo niższego szczebla państwowego lub gminnego zyskali okazję, żeby utajniać sprawy i dochodzenia dotyczące ich samych czy też instytucji, w których byli zatrudnieni. Najbardziej absurdalne drobiazgi... na przykład gdzie na terenie gminy należy urządzić składowisko śmieci... opatrywano klauzulą tajności, chociaż nic się w danej sprawie nie działo. Natomiast w stosunku do branż kontrolowanych przez kapitał prywatny... zwłaszcza zaś firm zajmujących się drukowaniem gazet... cenzurowanie było jeszcze bardziej brutalne. Nie zawsze ze złej woli albo niechęci, tylko ze względu na „odpowiedzialność moralną". — Mężczyzna wypił resztę wody mineralnej. — Za to na temat kwalifikacji moralnych osób władnych głosić takie tezy nie wolno było oczywiście napisać ani jednego złego słowa.

Jensen spojrzał na zegarek. 20.17.

— W momencie gdy związki zawodowe i prywatni pracodawcy doszli do porozumienia, nastąpiło skumulowanie władzy, które nie miało swego odpowiednika we wcześniejszej historii. Zorganizowana opozycja znikła jak za dotknięciem czarodziejskiej różdżki.

Jensen skinął głową.

— Po prostu nie istniało już nic, czemu można się było sprzeciwić. Wszystkie problemy zostały rozwiązane, nawet kwestia braku mieszkań i miejsc parkingowych. Materialnie obywatelom zaczęło się powodzić coraz lepiej, rodziło się mniej dzieci pozamałżeńskich, spadała przestępczość. Jedynymi ludźmi, którzy mogli pełnić funkcję opozycji krytykującej nową sytuację polityczną, będącą cudownym połączeniem gospodarki z moralnością, była grupa podejrzliwych zawodowych specjalistów od debaty, takich jak ja. Mogli oni zacząć stawiać mnóstwo bezsensownych pytań. Na przykład: czyim kosztem osiągnięto taki dobrobyt? Dlaczego rodzi się mniej nieślubnych dzieci? Dlaczego spada przestępczość? I tak dalej.

— Proszę przejść do rzeczy — przypomniał Jensen.

— Oczywiście, do rzeczy — rzekł mężczyzna suchym tonem. — Propozycja, jaką otrzymałem, była bardzo kusząca. Koncern zaplanował nowe, wspaniałe czasopismo. Mieli w nim publikować najlepsi i najbardziej dynamicznie myślący przedstawiciele świata kultury w naszym kraju. Bardzo dokładnie zapamiętałem to sformułowanie. Usłyszałem, że ja też zaliczam się do tej kategorii. Nie przeczę, że mi to schlebiało. Pokazali mi listę współpracowników. Zdziwiłem się, bo znalazły się na niej nazwiska ludzi... mniej więcej dwadzieścia pięć osób... których w tamtych czasach uważano za intelektualną i kulturalną elitę w naszym kraju. Obiecywano nam wszelkie niezbędne środki. Jak pan sądzi, czy byłem tym zaskoczony?

Jensen spojrzał na niego obojętnym wzrokiem.

— Pojawiły się oczywiście pewne zastrzeżenia. Wydawanie gazety powinno być opłacalne, a przynajmniej nie przynosić strat. Była to jedna z podstawowych zasad. Zgodnie z drugą zasadą wszystkich należało chronić przed tym, co złe. Żeby projekt się opłacił, wszystko trzeba było dokładnie zaplanować. Zanim nabierze ostatecznego kształtu, należało wykonać serię badań rynkowych. Trzeba się było liczyć z koniecznością wydania kilku numerów próbnych na najwyższym poziomie. Niczego nie wolno było pozostawić przypadkowi. Jeśli chodzi o treść i dobór tematów, pozostawiono nam wolną rękę, zarówno w okresie próbnym, jak i później, gdy czasopismo oficjalnie zadebiutowało na rynku. — Mężczyzna uśmiechnął się gorzko. — Poinformowano nas, że jedna z podstawowych zasad w tej branży zobowiązuje wszystkich do utrzymania w tajemnicy spraw związanych z tworzeniem nowego projektu. Bo jeśli nie, ktoś inny może wpaść na podobny pomysł. Wskazano również na to, że w wypadku niektórych czasopism wydawanych przez koncern potrzebowano lat, aby nadać im ostateczny kształt. W końcu położyli przede mną kontrakt do podpisania. Był zaskakująco korzystny. Okazało się, że sam miałem określić swoje wynagrodzenie, oczywiście w rozsądnych proporcjach. Kwota, którą uzgodniliśmy, miała być rozpisywana na podstawie tego, co napiszę. Za każdy tekst miało mi przypaść odpowiednie wynagrodzenie. I nawet jeśli cząstkowe honoraria nie dadzą w sumie uzgodnionego wynagrodzenia miesięcznego, i tak miałem je otrzymywać. Może się oczywiście zdarzyć, że dojdzie do pewnego braku równowagi wc wzajemnych rozliczeniach i że w pewnych okresach powstanie zobowiązanie... moje wobcc wydawnictwa lub wydawnictwa wobec mnie. W takiej sytuacji moim obowiązkiem będzie zlikwidowanie takiego zadłużenia. Jeśli się okaże, że napisałem za dużo tekstów, będę miał wolne. Jeśli za mało, będę to musiał nadrobić. Poza tym kontrakt zawierał wiele typowych sformułowań, na przykład, że umowa zostanie rozwiązana, jeśli w oczywisty sposób zaniedbam swojc obowiązki albo jeśli będę celowo i świadomie sabotował polecenia kierownictwa. Nie wolno mi było odejść bez uregulowania swoich zobowiązań wobec koncernu. Były też inne punkty w podobnym stylu. — Mężczyzna bawił się długopiscm leżącym na stole. — Podpisałem ten

221

kontrakt. Dzięki niemu moje dochody osiągnęły poziom, jakiego nigdy przedtem nie udało mi się osiągnąć. Potem okazało się, że wszyscy moi współpracownicy podpisali podobne kontrakty. Tydzień później rozpocząłem pracę w dziale specjalnym.

Jensen chciał coś powiedzieć, ale zrezygnował.

— Oficjalna nazwa brzmiała „dział specjalny". Nazwa „dział trzydziesty pierwszy" pojawiła się później. Siedziba redakcji mieściła się bowiem na samej górze, na trzydziestym pierwszym piętrze. Pomieszczenia te miały na początku pełnić funkcje magazynu albo strychu i prawie nikt nie wiedział o ich istnieniu. Windy tam nie dochodziły, na piętro można było wejść tylko wąskimi, krętymi, żelaznymi schodami. W pokojach nie było okien, tylko dwa świetliki w suficie. Wyjaśniono nam, że umieszczono nas tam z dwóch powodów. Po pierwsze, żebyśmy mieli całkowity spokój. Po drugie, łatwiej otoczyć tajemnicą zaplanowane prace. Pracowaliśmy krócej i w innych godzinach niż pozostałe działy. Wtedy miało to wszystko dla nas jeszcze jakiś sens. Czy to pana dziwi?

Jensen nie odpowiedział.

— No więc zabraliśmy się do pracy. Na początku ciężko harowaliśmy. Proszę sobie wyobrazić dwudziestu kilku indywidualistów, sprzeczne wizje i poglądy, brak wspólnego mianownika. Naszym szefem był dosłowny analfabeta, który w późniejszym okresie zajął jedno z najwyższych stanowisk w koncernie. Mogę panu dostarczyć mnóstwo przykładów świadczących o tym, że swoje stanowisko zawdzięcza... podobnie jak prezes i szef wydawnictwa... tylko temu, że cierpi na aleksję. Na szczęście starał się nie robić zbyt dużo zamieszania wokół własnej osoby. Pierwszy numer poszedł do druku dopiero po ośmiu miesiącach, głównie dlatego, że dział produkcji za bardzo się guzdrał z powodu problemów technicznych. Był to bardzo dobry i odważny numer. Ku naszemu najwyższemu zdumieniu został bardzo pozytywnie przyjęty przez dyrekcję wydawnictwa. Chociaż większość artykułów miała krytyczny wydźwięk, a niektóre wprost krytykowały prasę tygodniową, nikt nie komentował ich treści. Poproszono nas tylko, abyśmy poprawili liczne szczegóły techniczne, a zwłaszcza przyspieszyli tempo produkcji. Zanim doszliśmy do tego, że mogliśmy zagwarantować, że kolejne numery będą się ukazywać co dwa tygodnie, nie było mowy o regularnym wydawaniu czasopisma. Ale i to nie wzbudzało naszych podejrzeń. — Mężczyzna spojrzał przyjaznym wzrokiem na Jensena. — Dopiero po dwóch latach udało nam się pokonać wszystkie problemy i za pomocą dostępnych środków doprowadzić do publikowania dwóch numerów miesięcznie. Pismo było drukowane przez cały czas. Z każdego numeru otrzymywaliśmy po dziesięć próbnych egzemplarzy. Wkładaliśmy je do segregatorów dla celów archiwalnych. Obowiązek zachowania tajemnicy doprowadził do tego, że zabroniono nam wynosić czasopisma z redakcji. Kiedy więc w końcu osiągnęliśmy ten etap, dyrekcja wyglądała na zadowoloną, a nawet zachwyconą. Dowiedzieliśmy się jednak, że musimy wymyślić nową szatę graficzną, która umożliwi konkurowanie magazynu z innymi czasopismami na wolnym rynku. Może mi pan wierzyć albo nie, ale dopiero po decyzji o tej zmianie, do której przyczyniła się grupa dość dziwnych ekspertów, co zabrało jej osiem miesięcy i nie przyniosło żadnych widocznych rezultatów, zaczęliśmy...

— Zaczęliście co? — spytał Jensen.

— Zaczęliśmy wreszcie rozumieć, na czym polega cała gra. Kiedy próbowaliśmy się sprzeciwiać, uspokajano nas przez drukowanie wyższego próbnego nakładu liczącego około pięciuset egzemplarzy. Dyrekcja twierdziła też, że nakład zostanie wysłany do redakcji wszystkich dzienników i ważnych instytucji. Stopniowo zaczęliśmy sobie uświadamiać, że to nieprawda, ale zabrało nam to dużo czasu. Dopiero kiedy się upewniliśmy, że nazwa czasopisma nigdy nie pojawiła się w żadnym kontekście i że jego treści nikt nie komentuje, zrozumieliśmy, że nigdy go nigdzie nie rozsyłano; traktowano pismo tylko jako nakład próbny albo raczej jako wskazówkę, o czym i jak wolno pisać. Do nas trafiało jak zwykle dziesięć egzemplarzy. Od tamtej pory...

— Tak?

— ...od tamtej pory dzieje się ciągle coś, co jest wprost niesamowite. Praktycznie rzecz biorąc, odbywa się to w identyczny sposób. Dzień po dniu, miesiąc po miesiącu, rok po roku elita kulturalna tego kraju spędza mnóstwo czasu w swoich upiornych pomieszczeniach i z coraz mniejszym entuzjazmem skleca kolejne numery pisma, które mimo wszystko jest jedynym godnym uwagi czasopismem kulturalnym w tym kraju. I nigdy się go nie drukuje! Przez cały czas dyrekcja wymyśla kolejne preteksty mające wyjaśnić, dlaczego tak musi być. Na przykład, że ostateczna formuła czasopisma nie została zaakceptowana, że tempo produkcji jest zbyt wolne, że drukarnia nie ma wolnych mocy przerobowych i tak dalej. Tylko treść nie wzbudzała nigdy żadnych zastrzeżeń. — Zaczął stukać palcami o blat stołu. — A przecież treść mogłaby doprowadzić do wielu zmian, obudzić ludzi, wstrząsnąć ich świadomością, zanim będzie za późno. Powiem wprost, że mogłaby wielu ludzi uratować. Wiem, że to prawda.

Mężczyzna uniósł nagle dłoń, jakby chciał odeprzeć replikę ze strony Jensena, choć ten siedział w milczeniu.

— Wiem, pewnie pan spyta, dlaczego nie odeszliśmy. Odpowiedź jest prosta: nie mogliśmy tego zrobić.

— Proszę mi to wyjaśnić.

— Chętnie. Sposób, w jaki zostały skonstruowane nasze kontrakty, doprowadził do tego, że byliśmy strasznie zadłużeni wobec koncernu. Już po pierwszym roku pracy byłem firmie winien ponad połowę tego, co zarobiłem. Po pięciu latach kwota była już pięciokrotnie wyższa, a po piętnastu urosła do astronomicznych rozmiarów, przynajmniej dla osób, które prowadzą normalne życie i osiągają normalne dochody. Było to tak zwane zadłużenie techniczne. Koncern regularnie nas informował o poziomie zadłużenia. Jednakże nikt nie żądał zwrotu tych pieniędzy. Stałoby się tak, gdyby ktoś z nas chciał odejść z działu trzydziestego pierwszego.

— Ale pan odszedł?

— Tak, bo trafiła się znakomita okazja. Odziedziczyłem majątek, co mnie zupełnie zaskoczyło. I chociaż kwota była ogromna, znaczną jej część wydałem na rozliczenie się z wydawnictwem. Za pomocą różnych sztuczek koncernowi udało się tę kwotę dodatkowo podwyższyć. Przestali kombinować, gdy dostali ode mnie czek z wpisaną kwotą końcową. I tak oto uwolniłem się od nich. I nawet gdybym musiał poświęcić cały majątek, też bym odszedł. Kiedy zrozumiałem, w co się wplątałem, byłem gotów kraść i rabować, żeby tylko zdobyć pieniądze i uwolnić się od tamtych ludzi. — Roześmiał się głośno. — Kraść i rabować... niewiele osób zajmuje się tym dzisiaj, prawda?

— Czy przyznaje się pan, że...

Mężczyzna natychmiast przerwał Jensenowi.

— Czy pan zrozumiał to, co powiedziałem? Przecież to zbrodnia, intelektualna zbrodnia, o wiele bardziej obrzydliwa i niesmaczna niż jakiekolwiek przestępstwo fizyczne. To zbrodnia na ideach, na umyśle, na swobodzie wypowiedzi. To zbrodnia pierwszego stopnia na całym sektorze kulturalnym. A motyw był najbardziej przyziemny ze wszystkich motywów: chodziło o zapewnienie społeczeństwu gwarantowanego poczucia spokoju, co ma doprowadzić do tego, że społeczeństwo bezkrytycznie przełknie wszystko to, czym jest karmione. Czy pan rozumie, o co w tym chodzi? Chodzi o to, aby bezkarnie szerzyć obojętność, wstrzykiwać truciznę po wcześniejszym upewnieniu się, że nie ma lekarzy ani szczepionki, która przed nią chroni. — Wypowiedział te zdania bardzo szybko. Potem kontynuował prawie bez zaczerpnięcia powietrza: — Pan oczywiście zaprotestuje i powie, że wszystkim powodziło się dobrze, z wyjątkiem tych dziewięciu, którzy oszaleli, zmarli śmiercią naturalną albo popełnili samobójstwo. I że koncern wydał mnóstwo pieniędzy, udając, że publikuje czasopismo, które nigdy nie zostało wydrukowane. Ale to dla nich żadne pieniądze, przecież zatrudniają specjalistów od deklaracji podatkowych, którzy pracują jednocześnie w urzędach skarbowych... — Przerwał i mówił dalej spokojnym tonem. — Proszę mi wybaczyć, że skłaniam się ku takiej argumentacji. Tak, przyznaję się, to ja napisałem tamten list. Zresztą pan wiedział o tym od samego początku. Postanowiłem jednak po pierwsze, naświetlić panu całą sytuację, a po drugie, przeprowadzić pewien eksperyment na samym sobie. Chciałem sprawdzić, jak długo potrafię ukrywać coś takiego. — Uśmiechnął się i powiedział jakby mimochodem: — Brakuje mi talentu do ukrywania prawdy.

— Proszę mi podać motyw.

— Kiedy udało mi się stamtąd wyrwać, postanowiłem nagłośnić całą sprawę. Szybko jednak zrozumiałem, że nie mam szans na napisanie i opublikowanie informacji o tym wszystkim. W końcu pomyślałem sobie, że jedyna nadzieja w tym, że w społeczeństwie istnieje jakieś oczekiwanie na informacje o wydarzeniach o charakterze brutalnym i sensacyjnym. I dlatego wysłałem tamten list. To był oczywiście błąd. Tego samego dnia dostałem zgodę na odwiedzenie jednego z moich kolegów dziennikarzy w szpitalu dla psychicznie chorych. To naprzeciwko siedziby koncernu. Stałem i przyglądałem się, jak policja ustawia zapory, jak nadjeżdża straż i jak trwa ewakuacja pracowników. Tymczasem w gazetach nie pojawiło się ani jedno słowo o całej sprawie, ani jeden komentarz.

— Czy jest pan gotów przyznać się do winy w obecności świadków? I podpisać protokół?

— Oczywiście — odparł mężczyzna. Wydawał się roztargniony. — Przy okazji: wszystkie niezbędne dowody potwierdzające moje zeznanie znajdzie pan na miejscu, to znaczy w tym domu.

Jensen skinął głową. Mężczyzna wstał i podszedł do jednego z regałów.

— Przekażę panu jeden z takich dowodów. Oto numer

czasopisma, które nie istniało i nie istnieje. To ostatni egzemplarz, który wydrukowano przed moim odejściem.

Jensen przerzucił kilka stron.

— Chociaż upływające lata wycisnęły na nas piętno, nie byliśmy aż tak otępiali, żeby odważyli się puścić nas samopas — kontynuował mężczyzna. — Zajmowaliśmy się wszystkimi sprawami, nie istniało żadne tabu.

Treść czasopisma była zdumiewająca. Mimo to twarz Jensena przypominała kamienną maskę. Na chwilę zatrzymał się przy artykule o fizycznych aspektach malejącego przyrostu naturalnego i o zubożeniu współżycia seksualnego. Tekst opatrzony był dwoma zdjęciami nagich kobiet. Reprezentowały różny typ urody. Fotografie przypominały zdjęcia, które Jensen znalazł w zaklejonej kopercie w biurku redaktora naczelnego. Przedstawiały kobiety o wąskich biodrach z pozbawionym owłosienia wzgórkiem łonowym. Drugie zdjęcie miało numer cztery i przedstawiało kobietę, w której mieszkaniu Jensen dobę wcześniej musiał oprzeć się o framugę drzwi i wypić szklankę wody. Kobieta stała wyprostowana, z opuszczonymi ramionami i lekko rozstawionymi stopami. Miała duże, ciemne brodawki piersi, szerokie biodra i łukowato sklepiony brzuch. Od łona w górę ciągnęło się pasemko czarnych, gęstych włosów, które w pewnym miejscu rozszerzały się na całą dolną część podbrzusza. Mimo to na zdjęciu widać było jej organ płciowy. Wyglądało to tak, jakby przebił się z tego ciemnego trójkąta między udami.

— To zdjęcie zostało zrobione niedawno — wyjaśnił mężczyzna. — Nie poszliśmy na łatwiznę, chociaż trudno je było zdobyć.

Jensen przeglądał kolejne strony. Potem odłożył pismo i spojrzał na zegarek. 21.06.

— Proszę przynieść swoje przybory toaletowe. Pójdzie pan ze mną — powiedział.

Mężczyzna skinął głową. Rozmowę dokończyli w samochodzie.

— Muszę się przyznać do jeszcze jednej rzeczy.

— Do jakiej?

— Jutro o tej samej porze kierownictwo koncernu otrzyma list o takiej samej treści. Właśnie byłem na poczcie, żeby go wysłać.

— Dlaczego?

— Nie poddam się tak łatwo. Ale tym razem nie za bardzo się nim przejmą.

— Co pan wie o materiałach wybuchowych?

— Mniej niż redaktor naczelny wydawnictwa wie o Heglu.

— To znaczy?

— To znaczy nic. Nie odbyłem nawet służby wojskowej. Już wtedy byłem pacyfistą. I nawet gdybym miał do dyspozycji cały magazyn z amunicją, nie potrafiłbym z niej zmontować niczego, co mogłoby wybuchnąć. Wierzy mi pan?

— Tak.

W połowie drogi do komisariatu Jensen zapytał:

— Czy kiedykolwiek przeszło panu przez myśl, żeby naprawdę wysadzić ten budynek w powietrze?

Mężczyzna odpowiedział na to pytanie dopiero w chwili, gdy wjeżdżali przez bramę na policyjny dziedziniec.

— Tak. Gdybym potrafił zbudować bombę i gdybym był pewien, że nikogo nie skrzywdzę, być może wysadziłbym koncern w powietrze. A tymczasem powstała... że tak powiem... bomba symboliczna.

Kiedy samochód się zatrzymał, mężczyzna mruknął jakby do siebie:

— W końcu o tym opowiedziałem. I to komu... policjantowi. — Odwrócił się do Jensena i rzekł: — Rozumiem, że to będzie zamknięty proces?

— Nie wiem — odparł Jensen.

Wsunął magnetofon pod deskę rozdzielczą, wysiadł z wozu, obszedł samochód i otworzył drzwi po drugiej stronie. Zaprowadził mężczyznę na przeszukanie, poszedł do swojego pokoju i zadzwonił do szefa wywiadowców.

— Zapisałeś sobie adres?

— Tak.

— Weź ze sobą dwóch specjów od zabezpieczania śladów. Pojedźcie tam. Zabezpieczcie wszystkie ślady, jakie uda wam się znaleźć. To pilne.

— Zrozumiałem.

— I jeszcze jedna rzecz.

— Tak?

— Wyślij do aresztu kogoś od przesłuchań. Chodzi o przyznanie się do winy.

— Zrozumiałem.

Jensen spojrzał na zegarek. 21.35. Do północy zostały już tylko dwie godziny i dwadzieścia pięć minut.

26

— Jensen? Co się z panem dzieje?

— Właśnie skończyłem dochodzenie.

— Szukam pana od dwóch dni. Sprawa przybrała nowy obrót.

Jensen nic odpowiedział.

— Co pan ma na myśli, mówiąc o zakończeniu dochodzenia?

— Zajmowałem się podejrzanym.

Jensen usłyszał w słuchawce, jak komendant ciężko wzdycha.

— Czy podejrzany się przyznał?

— Tak.

— I są na to odpowiednie dowody?

— Tak.

— Wszystko wskazuje, że to on jest winny?

— Tak.

Komendant przez chwilę się zastanawiał.

— Musimy natychmiast powiadomić o wszystkim prezesa koncernu — powiedział.

— Dobrze.

— Pan się tym zajmie. Najlepiej osobiście.

— Zrozumiałem.

— To może nawet lepiej, że nie udało mi się z panem wcześniej porozmawiać.

— Nie rozumiem.

— Wczoraj skontaktowało się ze mną kierownictwo koncernu. I to za pośrednictwem ministra. Uznali, że najlepiej będzie przerwać dochodzenie. Koncern gotów jest nawet wycofać zgłoszenie popełnienia przestępstwa.

— Dlaczego?

— Moim zdaniem doszli do wniosku, że dochodzenie utknęło w martwym punkcie. Poza tym uznali pańskie metody za kłopotliwe dla nich. Twierdzą, że działa pan na ślepo, niepokoi niewinnych ludzi i wyrządził pan przykrość kilku ważnym osobom.

— Rozumiem.

— Cała ta sprawa jest bardzo niezręczna. Ponieważ jednak... szczerze mówiąc... nie miałem zbyt dużych nadziei, że uda się panu zakończyć dochodzenie w uzgodnionym terminie, gotów byłem pójść im na rękę. Minister zapytał mnie wprost, czy moim zdaniem poradzi pan sobie z dochodzeniem. Musiałem, niestety, odpowiedzieć przecząco. Ale teraz...

— Tak?

— Rozumiem, że sytuacja zupełnie się zmieniła.

— To prawda. Jest jeszcze jedna rzecz.

— O co chodzi?

— Sprawca napisał kolejny list z groźbami, podobny do poprzedniego. Dotrze do koncernu jutro.

— Czy to groźne?

— Raczej nie.

— No cóż, jeśli tak, to znajdziemy się w niezwykłym położeniu: uda nam się zatrzymać winnego szesnaście godzin przed popełnieniem przez niego przestępstwa.

Jensen nie skomentował tych słów.

— Najważniejsze jest teraz to, żeby pan powiadomił o wszystkim prezesa koncernu. Musi pan go jakoś złapać. Dla swojego własnego dobra.

— Zrozumiałem.

— Jensen?

— Tak?

— Wykonał pan kawał dobrej roboty.

Jensen odłożył słuchawkę, ale chwilę później znowu po nią sięgnął. Kiedy wybierał numer, z dziedzińca dobiegły go histeryczne wrzaski. Dopiero po pięciu minutach udało mu się namierzyć prezesa koncernu. Okazało się, że przebywa w jednej ze swoich posiadłości. Po kolejnych pięciu minutach zdołał się z nim połączyć. Osoba, która odebrała telefon, należała prawdopodobnie do służby.

— Sprawa jest ważna — powiedział Jensen.

— Panu prezesowi nie wolno przeszkadzać.

— To pilne.

— Nie mogę nic zrobić. Pan prezes miał wypadek i leży w łóżku.

— Czy ma telefon w sypialni?

— Oczywiście.

— W takim razie proszę mnie połączyć.

— Przykro mi, ale to niemożliwe. Pan prezes miał wypadek i...

— Już to słyszałem. Chciałbym w takim razie porozmawiać z kimś z rodziny.

— Pani już wyszła.

— Kiedy wróci?

— Nie wiem.

Jensen odłożył słuchawkę i spojrzał na zegarek, który wskazywał kwadrans po dziesiątej.

Nagle poczuł pieczenie w gardle. Był to skutek zjedzonego wcześniej posiłku, na który złożył się ser i bulion. Jensen włożył płaszcz, wszedł do toalety i zażył lekarstwo, popijając je wodą.

Posiadłość położona była trzydzieści kilometrów na wschód od centrum, nad jeziorem, w okolicy nieskażonej cywilizacją. Jensen jechał szybko, na włączonym sygnale, dzięki czemu cały odcinek pokonał w mniej niż pół godziny.

Zaparkował samochód niedaleko od domu i czekał. Kiedy w ciemnościach pojawił się jeden z wywiadowców, Jensen spuścił boczną szybę.

— Słyszałem, że doszło do jakiegoś wypadku.

— E tam! Zaraz wypadku. W każdym razie facet leży w łóżku. Nie widziałem jednak, żeby zjawił się lekarz. Do zdarzenia doszło kilka godzin temu.

— Co się stało?

— Była godzina... no, było już ciemno.

— Czy zauważyłeś, co się wydarzyło?

— Tak, dokładnie. Z miejsca, gdzie stałem, dobrze to widziałem. Mnie nikt nie widział. Obserwowałem taras przed domem, skąd widać pokój na parterze, schody prowadzące do sypialni i drzwi na górze.

— Co się stało?

— Ma jakichś gości. Wśród nich są małe dzieci, wszyscy przyjechali pewnie na weekend.

Policjant umilkł.

— I co dalej?

— Dzieci przyjechały chyba z zagranicy — kontynuował policjant w zamyśleniu. — Bawiły się na tarasie, a on siedział z gośćmi w dużym pokoju i coś pili. Chyba wódkę, ale w niezbyt dużych ilościach, o ile dobrze zauważyłem.

— Do rzeczy.

— Nagle na tarasie pojawił się borsuk.

— I co?

— Chyba zabłądził. Dzieci zaczęły krzyczeć, a borsuk nie potrafił znaleźć drogi ucieczki, bo wokół tarasu stoi balustrada, więc biegał we wszystkie strony. Dzieci coraz głośniej krzyczały.

— I co?

— W pobliżu nie było nikogo ze służby. Nie było też ani jednego mężczyzny oprócz niego. No i mnie, oczywiście. Facet wstaje, wychodzi na taras i widzi borsuka, który biega jak oszalały. Dzieci krzyczą ze strachu. Facet najpierw się waha, potem podchodzi do zwierzaka i usiłuje go kopnąć, żeby go przepędzić. Borsuk uchyla się i prawie chwyta go za nogę. Potem znajduje jakąś dziurę i znika.

— A prezes?

— Wraca do środka, ale zamiast usiąść przy stole, idzie powoli schodami na górę. Otwiera drzwi do sypialni, ale nie wchodzi, tylko osuwa się na progu. Wyglądało to tak, jakby leżał i jęczał. Woła żonę, która szybko się zjawia i prowadzi go do łóżka. Zamykają drzwi i domyślam się, że żona pomaga mu się rozebrać. Kilka razy wychodzi z pokoju, potem wraca, przynosi różne przedmioty, filiżanki, a może termometr, szczegółów nie widziałem.

— Czy borsuk go ugryzł?

— Nie, raczej przestraszył. Dziwne jest to, że...

— Że co?

— ...że borsuk pojawił się o tej porze roku. Te zwierzęta spędzają zimę w norach. Zapamiętałem to z programu przyrodniczego w telewizji.

— Daruj sobie zbędne komentarze.

— Tak jest, panie komisarzu.

— Możesz wrócić do swoich zwykłych obowiązków.

— Tak jest.

Policjant wyjął lornetkę.

— Muszę przyznać, że było to bardzo urozmaicone zadanie, jeśli wolno mi tak powiedzieć.

— Bez zbędnych komentarzy. Jeszcze jedna sprawa.

— Słucham.

— Twój sposób składania raportu pozostawia wiele do życzenia.

— Rozumiem.

Jensen podszedł do drzwi. Do środka wpuściła go służąca. Wchodząc do przedpokoju, usłyszał, jak zegar wybija jedenastą. Jensen stał z kapeluszem w ręce i czekał. Po pięciu minutach zjawiła się żona prezesa.

— O tej porze? — zaczęła podniesionym głosem. — Mój mąż miał ciężki wypadek i leży w łóżku.

— Sprawa jest ważna. To pilne.

Kobieta weszła po schodach. Dwie minuty później wróciła i powiedziała:

— Proszę skorzystać z telefonu, który stoi w przedpokoju. Będzie pan mógł porozmawiać z mężem. Tylko krótko.

Jensen podniósł słuchawkę. Prezes sprawiał wrażenie wyczerpanego, ale mówił mocnym, melodyjnym głosem.

— Słyszałem, że go pan aresztował?

— Zatrzymałem.

— Gdzie teraz jest?

— Przez kolejne trzy dni będzie przebywał w areszcie w naszym komisariacie.

— Wspaniale. Ten biedak jest z pewnością chory psychicznie.

Jensen nie skomentował tych słów.

— Czy w czasie dochodzenia dowiedział się pan o jakichś innych sprawach?

— O niczym interesującym.

— Wspaniale. Życzę panu miłego wieczoru.

— Mam jeszcze jedno pytanie.

— Ale krótko. Przyszedł pan późno, a ja miałem wyczerpujący dzień.

— Zanim zatrzymaliśmy sprawcę, wysłał do was jeszcze jeden anonimowy list.

— Aha. Czy pan wie, co ten list zawiera?

— Mężczyzna twierdzi, że list ma takie samo brzmienie jak poprzedni.

Cisza, jaka zapadła po tych słowach, trwała tak długo, że Jensen uznał w pewnej chwili, iż rozmowa dobiegła końca. Jednakże prezes się nie rozłączył. Za to jego głos brzmiał już inaczej.

— Czyli znowu nam grozi, że dokona zamachu bombowego?

— Najwyraźniej tak.

— Czy możliwe jest, że wślizgnął się do budynku i podłożył materiał wybuchowy?

— Wydaje mi się to mało prawdopodobne.

— Ale nie można tego całkowicie wykluczyć?

— Oczywiście, że nie. Moim zdaniem jednak trzeba uznać taką ewentualność za wysoce nieprawdopodobną.

Prezes rozmawiał z Jensenem zamyślonym głosem. Po pół minucie zakończył rozmowę słowami:

— Ten człowiek jest najprawdopodobniej chory psychicznie. Cała ta sprawa jest nieprzyjemna. Ale wszelkiego rodzaju środki będzie można przedsięwziąć dopiero jutro rano. Życzę panu spokojnej nocy.

Jensen wracał do centrum powoli. O dwunastej miał jeszcze do przejechania pięć kilometrów. Chwilę potem wyprzedził go duży czarny samochód. Przypominał wóz prezesa, ale Jensen nie był tego pewien.

Do domu wrócił dopiero o drugiej. Był głodny i zmęczony i wcale nie czuł się tak przyjemnie jak wtedy, gdy kończył jakieś dochodzenie.

Rozebrał się w ciemnościach, poszedł do kuchni, nalał sobie trochę wódki i wypił ją jednym łykiem. Potem wymył naczynie i położył się do łóżka. Zasnął prawie od razu. Ostatnie, co zapamiętał, to poczucie izolacji i niezadowolenia.

27

Jensen zupełnie się rozbudził w chwili, gdy otworzył oczy. Coś go obudziło, ale nie wiedział co. Na pewno nie było to żadne zjawisko zewnętrzne, na przykład dzwonek telefonu albo ludzki głos. Najprawdopodobniej jego sen zakłóciła jakaś myśl, jasna i przenikliwa jak błyskawica, która jednak natychmiast znikła, gdy otworzył oczy.

Leżał na plecach i patrzył w sufit. Po kwadransie wstał i poszedł do kuchni. Elektroniczny zegarek wskazywał za pięć siódma. Poniedziałek.

Jensen wyjął z lodówki butelkę wody mineralnej, nalał sobie do szklanki i stanął przy oknie. Krajobraz, jaki roztaczał się z jego okna, był szary i smutny. Wypił wodę, wszedł do łazienki i odkręcił kurek w wannie. Zdjął piżamę i wszedł do ciepłej wody. Leżał w niej tak długo, aż wystygła. Wyszedł z wanny, wziął prysznic, wytarł się ręcznikiem i ubrał.

Tym razem nie przeczytał porannej gazety, zjadł tylko trzy sucharki i popił je wodą z miodem. Nic to nie dało, bo poczuł jeszcze większy głód niż poprzednio. Czuł też ból i ssanie w żołądku.

Chociaż jechał dość wolno, o mało nie przejechał skrzyżowania na czerwonym świetle i musiał gwałtownie zahamować. Z tyłu za nim od razu roztrąbiły się klaksony.

Dokładnie o wpół do dziewiątej wszedł do swojego pokoju w komisariacie. Dwie minuty później zadzwonił telefon.

— Czy spotkał się pan z prezesem? — spytał komendant.

— Tak, rozmawiałem z nim przez telefon. Był niedysponowany. Leżał w łóżku.

— A co mu się stało? Chory?

— Przestraszył się borsuka.

Komendant milczał przez chwilę. Jensen słyszał w słuchawce tylko jego nierówny oddech.

— No cóż, w każdym razie na pewno nie była to poważna przypadłość. Dziś rano prezes i dyrektor wydawnictwa polecieli samolotem na jakiś zagraniczny kongres.

— I co?

— Ale nie dzwonię z tego powodu. Chcę tylko powiedzieć, że pańskie kłopoty się skończyły. Przynajmniej z tym śledztwem. Rozumiem, że ma pan wszystkie niezbędne dokumenty?

Jensen przerzucił kilka kartek leżących na biurku.

— Tak — odparł.

— Prokurator krajowy dość szybko zajął się tą sprawą. Jego pracownicy przyjadą po zatrzymanego za jakieś dziesięć minut i zabiorą go do aresztu śledczego. Proszę im przekazać wszystkie raporty i protokoły czynności dochodzeniowych.

— Zrozumiałem.

— Kiedy prokuratura oficjalnie podejmie postępowanie, zakończy pan swoje czynności i zaznaczy to w rejestrze. Potem obaj zapomnimy o wszystkim.

— Zrozumiałem.

— To dobrze. Żegnam.

Urzędnicy prokuratury zjawili się o wyznaczonym czasie. Jensen stał przy oknie i obserwował, jak wyprowadzają zatrzymanego mężczyznę. Był ubrany w jesionkę, na głowie miał welurowy kapelusz i sprawiał wrażenie rozluźnionego. Z ciekawością rozglądał się po betonowym dziedzińcu. Leżały na nim gumowe węże i wiadra. Obok stali dwaj policjanci w jasnożółtych kombinezonach.

Obaj strażnicy potraktowali swoje zadanie bardzo poważnie. Wprawdzie nie nałożyli mężczyźnie kajdanek ani nie trzymali go za ręce, ale za to stanęli po obu jego bokach. Jensen zauważył, że jeden z nich przez cały czas trzyma prawą dłoń w kieszeni kurtki. Domyślił się, że od niedawna pełni służbę.

Jensen stał przy oknie jeszcze przez jakiś czas po

odjeździe radiowozu. Potem usiadł przy biurku, wyjął notes i zaczął studiować notatki. W kilku miejscach zrobił długą przerwę i wracał do poprzednich stron, żeby lepiej zrozumieć dany fragment.

Kiedy zegar na ścianie wybił jedenastą, zamknął notes i przez dziesięć minut wpatrywał się w niego. W końcu włożył go do brązowej koperty i zakleił ją. Na tylnej stronie napisał numer i włożył kopertę do dolnej szuflady. Potem wstał i poszedł do stołówki. Po drodze automatycznie odpowiadał na pozdrowienia innych osób.

Zamówił standardowy zestaw i dostał pełną tacę jedzenia. Usiadł w rogu sali przy stoliku, który był zarezerwowany na jego nazwisko. Lunch składał się z trzech kawałków klopsa, dwóch smażonych cebul, pięciu rozgotowanych ziemniaków i listka zielonej sałaty. Wszystko to było polane gęstym, kleistym sosem. Do tego pół litra homogenizowanego mleka, cztery suche kromki chleba, porcja witaminizowanego tłuszczu roślinnego, porcja topionego sera, kubek czarnej kawy i ciastko z cukrową polewą i powidłami.

Jensen jadł wolno i systematycznie. Sprawiał wrażenie nieobecnego, jakby nic go nie obchodziło.

Kiedy zjadł, wyczyścił zęby wykałaczką. Robił to długo i dokładnie. Potem usiadł nieruchomo, wyprostowany, ze splecionymi dłońmi ułożonymi na blacie stolika. Nie patrzył w żaden konkretny punkt i nie zwracał uwagi na przechodzące obok osoby.

Po trzydziestu minutach wstał i wrócił do swojego pokoju. Usiadł przy biurku i zaczął przeglądać raporty w sprawie ostatnich samobójstw i osób zatrzymanych za nadużywanie alkoholu. Ze sterty papierów wyjął jeden z meldunków. Próbował czytać, ale nie mógł się skoncentrować.

Zaczął się pocić i intensywnie myśleć. Rzadko coś takiego odczuwał. Lunch był chyba zbyt obfity jak na możliwości jego układu trawiennego.

W pewnej chwili odłożył raport, wyszedł na korytarz i skierował się w stronę toalety. Zamknął drzwi, wsunął dwa palce do ust i zwymiotował. Poczuł na wargach kwaśny smak treści żołądkowej. Początkowo wymiotował gwałtownie, ale po chwili kurcze ustały. Klęknął więc przy sedesie, objął go rękami i znowu zaczął wymiotować. Kiedy to robił, przyszło mu na myśl, że ktoś mógłby wejść w tej chwili do środka i zastrzelić go od tyłu. Gdyby napastnik miał rewolwer dużego kalibru, mógłby rozwalić mu głowę na kawałki, a wtedy on upadłby twarzą do muszli i właśnie w takiej pozycji zostałby znaleziony.

Kiedy torsje ustały, jego myśli wróciły na poprzedni tor. Zwilżył kark i umył ręce i usta zimną wodą. Potem uczesał włosy, oczyścił krawat i wrócił do swojego pokoju.

28

Ledwo usiadł za biurkiem, zadzwonił telefon. Jensen podniósł słuchawkę i zgodnie ze starym zwyczajem spojrzał na zegarek. 13.08.

— Jensen?

— Tak.

— Dostali list, tak jak pan zapowiedział.

— Tak?

— Kontaktował się ze mną zastępca dyrektora. Był zaniepokojony.

— Dlaczego?

— Jak już wcześniej wspomniałem, prezes i dyrektor wydawnictwa naczelny przebywają za granicą. I dlatego zastępca ponosi całą odpowiedzialność za wszystko, co się zdarzy. Niestety, nie dostał chyba żadnych konkretnych instrukcji.

— Jakich instrukcji?

— Co do środków, jakie powinien przedsięwziąć. Wygląda na to, że nikt mu nie powiedział, jak powinien się zachować po otrzymaniu listu z pogróżkami. Wszystko to spadło na niego jak grom z jasnego nieba, jeśli mogę się tak wyrazić. Odniosłem wrażenie, że ten człowiek nawet nie wie, że złapaliśmy sprawcę.

— Rozumiem.

— Co chwila mnie pytał, czy to na sto procent pewne, że w budynku nie ma ładunku wybuchowego. Odpowiedziałem, że ryzyko wydaje się niewielkie, ale niczego nie można zagwarantować ze stuprocentową pewnością. Bo rozumiem, że pan też nie może udzielić takiej gwarancji?

— Nie.

— W każdym razie prosił, żeby na wszelki wypadek przysłać mu kilku ludzi do pomocy. I nie możemy mu tego raczej odmówić.

— Rozumiem.

Komendant chrząknął do słuchawki.

— Jensen?

— Słucham.

— Nie musi pan jechać tam osobiście. Ma pan za sobą wyczerpujący tydzień, poza tym to sprawa rutynowa. Jeśli zaś chodzi o zastępcę dyrektora... — komendant zrobił krótką przerwę — ...to odniosłem wrażenie, że nie jest zachwycony perspektywą kolejnego spotkania z panem. Myślę, że nie musimy roztrząsać tego tematu.

— Nie musimy.

— Niech pan tam wyśle tych samych ludzi co poprzednio. Dowódca grupy operacyjnej jest przecież wprowadzony w całą sprawę. Niech on się tym zajmie.

— Zrozumiałem.

— Jeśli pan chce, możemy nadzorować całą operację przez radio. Proszę nim dysponować według własnego uznania.

— Zrozumiałem.

— Nie chcę w ten sposób dezawuować pana, sądzę, że pan rozumie moje decyzje. Myślę, że kiedy trafia się okazja, należy działać roztropnie.

— Rozumiem.

Jensen ogłosił alarm, a jednocześnie zadzwonił do szefa wywiadowców, żeby przekazać mu odpowiednie instrukcje.

— Zachowujcie się dyskretnie. Unikajcie zamieszania.

— Tak jest, panie komisarzu.

Jensen odłożył słuchawkę i usłyszał, jak na parterze włączył się alarm. Półtorej minuty później, o 13.12, z dziedzińca komisariatu wyjechały samochody z grupą operacyjną.

Jensen poczekał jeszcze minutę i spróbował skoncentrować się na myśleniu. Wstał i poszedł do centrali radiowej. Policjant siedzący przy aparaturze podniósł się i stanął na baczność. Jensen usiadł na jego miejscu.

— Gdzie jesteście?

— Dwie przecznice od siedziby związków zawodowych.

249

— Kiedy miniecie rynek, wyłączcie sygnał.

— Zrozumiałem.

Jensen mówił spokojnym, naturalnym głosem. Nie patrzył na zegarek. Procedury były w takich sytuacjach jasne. Grupa operacyjna powinna dotrzeć na miejsce o 13.26.

— Minąłem rynek. Widzę budynek.

— Nie chcę, żeby w środku albo na zewnątrz pojawili się jacyś umundurowani policjanci.

— Zrozumiałem.

— Wystaw posterunki w odległości trzystu metrów od budynku, przy każdym wjeździe ma stać połowa grupy.

— Zrozumiałem.

— Zwiększyć odległość między pojazdami.

— Zrobione.

— Postępujcie zgodnie z instrukcjami z zeszłego tygodnia.

— Zrozumiałem.

— W razie problemów natychmiast kontaktuj się ze mną. Czekam w centrali.

Jensen wpatrywał się w milczeniu w aparaturę.

Budynek koncernu należał do najwyższych w kraju. Dzięki swemu położeniu widoczny był z każdego miejsca w mieście. Każdy widział go zawsze ponad sobą. Bez względu na to, z którego kierunku wjeżdżało się do miasta, budynek stanowił punkt orientacyjny. Miał kwadratową podstawę i trzydzieści pięter. Na każdej ścianie budynku znajdowało się czterysta pięćdziesiąt okien. Fasadę zdobił biały zegar z czerwonymi wskazówkami. Gmach wyłożony był okładziną ze szklanych płyt. Od dołu płyty miały kolor granatowy, a im wyżej, tym kolor stawał się jaśniejszy. Dowódca grupy operacyjnej spoglądał na budynek przez szybę samochodu. Miał wrażenie, że wieżowiec wystrzeliwuje ponad ziemią niczym potężna kolumna wbijająca się w zimne, bezchmurne wiosenne niebo. Budynek robił się coraz większy i zajmował już całe pole widzenia.

— Jestem na miejscu. Bez odbioru.

— Bez odbioru.

Jensen spojrzał na zegarek. 13.27. Telefonista przekręcił potencjometr. Jensen nie ruszał się z miejsca. Nie odrywał wzroku od zegarka. Wskazówka sekundnika wolno pokonywała kolejne kreski na cyferblacie.

W pokoju panowała całkowita cisza. Jensen miał napiętą, skoncentrowaną twarz i zwężone źrenice. Wokół oczu pojawiła się gęsta siateczka zmarszczek. Telefonista patrzył na niego badawczym wzrokiem.

13.34... 13.35... 13.36... 13.37...

Nagle rozległy się trzaski. Jensen wciąż siedział nieruchomo.

— Panie komisarzu?

— Słucham.

— Oglądałem ten list. Bez wątpienia napisała go ta

sama osoba. Ten sam krój czcionki, podobnie jak inne cechy. Tylko papier jest inny.

— Dalej.

— Rozmawiałem z zastępcą dyrektora wydawnictwa. Jest bardzo zdenerwowany. Strasznie się boi, że coś się może wydarzyć podczas nieobecności jego przełożonych.

— Co dalej?

— Ewakuują personel, tak jak poprzednim razem. Cztery tysiące sto osób. Ewakuacja już się zaczęła.

— Gdzie jesteście?

— Przed głównym wejściem. Pełno tu ludzi.

— Straż pożarna?

— Poinformowana. Przyjechała jedna jednostka. Na razie wystarczy. Przepraszam... ale muszę zająć się ustawianiem zapór. Odezwę się.

Jensen usłyszał, jak dowódca patrolu wydaje rozkazy. Potem zapadła cisza.

O 13.46 Jensen siedział w tej samej pozycji. Wyraz jego twarzy nie uległ zmianie. Telefonista wzruszył ramionami i z trudem stłumił ziewanie.

O 13.52 w głośnikach znowu rozległy się trzaski.

— Panie komisarzu?

— Tak?

— Prawie wszyscy zostali ewakuowani. Tym razem poszło szybciej. Wychodzą już ostatnie osoby.

— Jak sytuacja?

— Wszystko działa, jak trzeba. Blokada funkcjonuje, jak należy. Straż jest na miejscu. Wszystko pod kontrolą.

Dowódca grupy operacyjnej mówił spokojnym, pewnym siebie głosem. Słychać było, że jest rozluźniony, prawie spokojny.

— O rany, ilu ludzi. Jak najazd mrówek. Wszyscy już wyszli.

Jensen spojrzał na zegarek. 13.55. Telefonista ziewnął.

— Całe szczęście, że nie pada — powiedział dowódca grupy.

— Daruj sobie niepo...

Jensen drgnął i przerwał w pół zdania.

— Czy wszyscy opuścili budynek? Oczekuję zwięzłej odpowiedzi.

— Tak, z wyjątkiem tych, którzy pracują w dziale specjalnym. Są chyba dobrze chronieni, a poza tym trudno byłoby ich ewakuować w tak krótkim...

I nagle Jensen doznał olśnienia. W jednej chwili wszystkiego się domyślił. Było to jak grom z jasnego nieba. Usiadł przy stole.

— Gdzie jesteś?

— Przed wyjściem...

— Wejdźcie szybko do środka. Natychmiast!

Olśnienie trwało. Jensen wiedział, co należy zrobić. Zrozumiał to w ułamku sekundy, w tej samej chwili, gdy wyrwał się z odrętwienia.

— Jesteśmy w środku...

— Podejdź do telefonu przy portierni. Zadzwoń do działu trzydziestego pierwszego. Kartkę z numerami telefonów masz przed sobą.

Cisza. 13.56.

— Nikt nie podnosi słuchawki, numer...

— A windy?

— Prąd został całkowicie odłączony. Telefony, wszystko...

— A gdybyś pobiegł schodami? Ile czasu potrzebujesz?

— Nie wiem. Dziesięć minut?

— Czy w budynku są nasi ludzie?

— Dwóch, ale nie wyżej niż na czwartym piętrze.

— Odwołaj ich. Bez odbioru. Zostało wam niewiele czasu.

13.57.

— Już wracają na dół.

— Gdzie stoi wóz strażacki?

— Przed głównym wejściem. Moi chłopcy już tu są.

— Niech straż objedzie budynek od strony aneksu.

— Zrozumiałem.

13.58.

— Ukryjcie się w bezpiecznym miejscu. Za aneksem. Biegiem.

W tym momencie w głośnikach rozległy się trzaski i ciężkie sapanie.

— Czy budynek jest pusty?

— Tak... z wyjątkiem tych na trzydziestym pierwszym piętrze.

— Wiem. Ustawcie się tuż przy ścianie, w martwym punkcie, to was uchroni przed spadającymi przedmiotami. Otwórzcie szeroko usta. Ciało rozluźnione. Uważajcie na języki. Bez odbioru.

13.59.

Jensen przekręcił potencjometr.

— Ogłoś alarm, zaraz zdarzy się katastrofa — powiedział do telefonisty. — Nie zapomnij powiadomić helikopterów. To pilne!

Jensen wstał i poszedł do swojego pokoju. Usiadł przy biurku i czekał. Siedział w zupełnej ciszy i zastanawiał się, czy dźwięk wybuchu dotrze aż do tego miejsca.

Polecamy thriller Pera Wahlöö

STALOWY SKOK

Komisarz Jensen musi wyjechać za granicę, aby przejść niezbędną operację jamy brzusznej. Trzy miesiące później otrzymuje zagadkowe wezwanie do natychmiastowego powrotu. Niestety, z niewiadomych przyczyn wszelki kontakt pomiędzy krajem a światem zewnętrznym został zerwany, a połączenia lotnicze zawieszone. Jensen dostaje się tam potajemnie helikopterem. Na miejscu okazuje się, że doszło do krwawych zamieszek, masakry ludności oraz wybuchu zagadkowej epidemii. Rząd uciekł, wprowadzono stan wyjątkowy, a władzę przejęli ludzie wrogo nastawieni do państwa. Brakuje prądu i wody w kranach, nie wychodzą gazety, obowiązuje zakaz wychodzenia z domu. Zamiast policji, ulice patrolują karetki pogotowia z uzbrojonymi lekarzami, które podejrzanych o łamanie nowych zarządzeń zabierają do szpitali na detoksykację. Czy wszystko zaczęło się od akcji wyborczej o kryptonimie Stalowy Skok? Zdając sobie sprawę, że jest ostatnim żyjącym policjantem na służbie, Jensen zaczyna badać, co doprowadziło kraj do takiego stanu...